# シュメル——文明を生んだ風土

バグダード市内を流れるティグリス河（1956年）

（右上）建設中の葦小屋
（左上）なつめやし
（左下）羊の群れと「先頭の山羊」

口絵写真：三笠宮撮影

（左）東側から見たウルのジグラト
（下）ウルのジグラト遠望。手前はウーリーの発掘で使用されたトロッコ

ウル王墓全景

## ウルの王墓とジグラト

ウル王墓入口。後方は新バビロニア時代の城壁

## ウルク

（左）ドイツ発掘隊宿舎からみたウルクのジグラト
（下）発掘された状態のコーン・モザイク（本文 p.19 参照）

## シュメルの遺産

バビロンの「イシュタル門」からの行列道路外壁（新バビロニア時代）

中公新書 1818

小林登志子著

# シュメル—人類最古の文明

中央公論新社刊

# はしがき

三笠宮崇仁

このたび、小林登志子氏の著『シュメル——人類最古の文明』が、「中公新書」として刊行されました。

日本人が書いたメソポタミア文明の本はいくつもありますが、シュメル文明だけを単独に扱った本は珍しいことです。シュメル人がメソポタミアに、いつ頃、どこからやってきたかはよくわかっていません。ですから、謎の民族とさえ呼ばれています。

私がまだ子供だった頃には、ヨーロッパ文明の源泉はギリシア・ローマだと思われていました。しかし今ではシュメル文明こそが、真の源泉だったことがわかってきました。

しかも、そのシュメル文明は西方ばかりでなく、東方にも伝播《でんぱ》し、シルクロードを経て日本にも到達しています。たとえば、シュメル人の残したデザインのモティーフが、正倉院（奈良）の宝物の中にも見られるのです。

ただ問題はシュメル文字です。ローマ字は誰でも知っていますし、ギリシア文字も少し勉強すればわかります。しかしシュメル文字となると、そう簡単にはいきません。でも、たとえシュメル文字を知らなくても、この本を読めばシュメル文明を十分理解出来ると思います。

ぜひ、ご一読をお奨めします。

# はじめに

## シュメルの遺産

二〇〇四年のオリンピックは、発祥の地ギリシアの首都アテネ市で開催された。開会式のセレモニーはミノア、ミケーネ文明などの遺物や古代ギリシア彫刻を人間が表現する、さすがに歴史の古いギリシアならではの趣向で、素晴らしい時代絵巻であった。続く、二〇二の国と地域からなる入場行進のなかに、「イラク戦争」が一応終結したものの銃撃の音が絶えないイラクからの選手団も含まれていた。緑色のブレザーを着た五〇人ほどの男性が行進したが、目をこらすとその先頭を一人の女性選手が誇らしげに行進していた。

なんと、彼女の頭にはロゼット（中心から花びらが放射状に出る花の文様）の髪飾りが見えるではないか。前二六〇〇年頃、シュメル人が活躍していた時代の「ウル王墓」から出土した髪飾りを模したものであり、古代風のドレスには心憎いことにシュメル人が発明した楔形《くさびがた》文字があしらってあった。彼女は古代メソポタミア文明を象徴して行進していたのである。前七七六年、古代ギリシアで第一回オリンピック競技がおこなわれたときに、文明段階に入っていた国はいったいいくつあっただろうか。イラクはギリシアよりも、ほかのどの国よりも古く、繁栄した文明を持つことを誇りにしているのである。イラクの人々はイスラムの思想だけではない。この矜持《きょうじ》がいつの日か、イラクの真の復興を成し遂げる決意表明に思えた。

ロゼットの髪飾りを付け、楔形文字をあしらったドレスをまとった女性選手を先頭に入場行進するイラク選手団

### 知られざる民族シュメル

現代のイラク人も誇りとしているシュメル人は「謎の民族」である。シュメル語は日本語と同様に膠着語《こうちゃくご》（日本語の「てにをは」のような接辞を持つ言語）に属すが、シュメル語に近い古代オリエント世界の言語は確認されず、シュメル人はどこからやって来たかわからない。しかし、シュメル人は前四〇〇〇年紀（前四〇〇〇—三〇〇一年）後半にはメソポタミア南部のシュメル地方に登場し、前三〇〇〇年頃には人類最古の都市文明が開花していた。いいかえると、「古代メソポタミア文明」を生み出したのはシュメル人であった。

シュメル人が活躍した時代は前四〇〇〇年紀後半から前三〇〇〇年紀にかけてである。シュメル人の都市国家が互いに覇を競い、やがて統一国家へと発展したが、早くも前二〇〇四年頃には相次ぐ異民族の侵入によってシュメル人は歴史の表舞台から退場してしまう。

その後、前二〇〇〇年以降にメソポタミアを支配したのはおおむねセム系の諸民族であって、現在のイラクを支配するアラブ人まで続いている。

「シュメルを知っていますか」と町行く人に試みに尋ねたら、「知らない」と多くの人が答えるだろう。「知っている」と答えた人も、「では具体的に」とたたみかけて質問したら、すぐに答えに窮するだろう。シュメルは高等学校の『世界史』の教科書に少し顔を出すが、どの教科書でも楔形文字、六十進法、都市国家、灌漑《かんがい》農耕といった語が並べられているだけで、あとは後代の『ハンムラビ法典』や新アッシリア世界帝国にページの多くがさかれている。

教科書のシュメルについての記述が少ないのと同様に、シュメルについて書かれた一般向け図書もとても少ない。

一方、同じ古代オリエントでもエジプトとなると、歴史、美術、ヒエログリフ（聖刻文字）などと一般向けの各種図書が出版され、書店によっては「古代エジプト」のコーナーが設けられている。

また、古代オリエント文明の展覧会といえば、我が国では「古代エジプト展」と相場が決まっている。「黄金のマスク」「極彩色の棺《ひつぎ》」「ミイラ」などは大きくてわかりやすいし、人目を惹《ひ》くので、大勢の入場者を集めることができる。

だが、あえて誤解を恐れずに発言すれば、エジプト人の残した多くの物は「死の文化」に属する物である。戦乱に明け暮れた古代オリエント世界のなかでも、ナイル河流域の閉ざされた世界で、ほかの地域に比較して平和が保てたエジプト人は死後の世界を空想し、絢爛《けんらん》豪華に膨張させた。この特異な空想の世界が現代の日本人を惹きつけているようだ。

翻って、シュメル人の残した物はといえば、「死の文化」に属する「ウル王墓」出土の黄金製品などもあるが、大きい物は少なく、小さなはんこであったり、粘土板に書かれた記録であって、一見して地味で、わかりやすいとはいえない。

だが、この地味で小さなシュメルの遺物は、パソコンのフロッピー・ディスクのように重要な情報を多数含んでいる。周囲が開けていて、その文明成立の最初から異民族と和戦両様で共存せざるをえなかったシュメル社会が作った物や制度の多くは、現実生活に即した普遍的なものであって、その後の文明社会で充分に通用するものであった。

たとえばはんこである。我が日本ははんこ社会であるが、シュメル社会こそ元祖はんこ社会であった。シュメル人が発明したはんこである「円筒印章」は当初封印に、後代には契約の場で使われていた。所有者の名前とともにさまざまな様式の面白い図柄が彫られていて、粘土板などの上にころがした。

ときには「円筒印章」は紐《ひも》を付けてぶら下げて、除魔のお守りともなった。我が国でも三文判はともかくとして、「実印」を作るとなると、開運除魔を願って印材や書体を選ぶのと似ている。「円筒印章」はシュメルと交流のあった地方に広く伝わり、メソポタミアでも後代まで長く使われた。

### 現代社会の原点

シュメル社会は現代社会の原点である。当時すでに文明社会の諸制度がほぼ整備されていた。政府組織ができると、文字の読み書きができる書記（役人）が必要になる。書記を養成するために学校が作られ、学校では「読み書き算数」だけでなく、さまざまな科目が教えられ、生徒が退屈しないように授業内容が工夫された。元祖「学園もの」とでも呼べる学校を舞台とした文学作品も書かれていた。

シュメル人は「都市に住む文明人」を自負し、シュメル人の定めた法律はパレスティナ問題や「イラク戦争」後のイラクの地で二一世紀になっても繰り返されている「やられたら、やりかえせ」式の「同害復讐《ふくしゅう》法」ではなかった。「やられたら」すなわち傷害事件はお金で賠償できるという現代の欧米や日本のような進歩的な規定であった。

古代エジプトと同様に、閉ざされた島国で、比較的平和が保たれた我が日本も国際社会のなかでは、さまざまな面で特異であると常々いわれている。その特異さは美点とも、民族性ともなり、必ずしも否定されることばかりではない。だが、一方では現代の国際社会の常識、普遍性を熟知することが求められており、その起源となる古代メソポタミアの歴史には学ぶことが多いはずである。

本書では古代メソポタミア文明のはじまりであるシュメル人の社会を、彼らが残した「もの」を通して紹介しながら、シュメル人の歴史をそのはじまりから終わりまでたどって行く。シュメル人は手紙、帳簿、文学、法律など、実にさまざまな記録を楔形文字で粘土板に几帳面《きちょうめん》に書いた。シュメル人が残したこの膨大な記録を「粘土板読み」と呼ばれる現代の研究者は一生をかけて丹念に読んで、歴史を復元する難しい作業を続けている。本書では、彼ら「粘土板読み」の研究成果をもとにして、まだまだ知られていない、しかし現代社会に生きる私たちにとってもきわめて重要なシュメル人たちの文明を紹介してみたい。

＊なお、我が国では「シュメル」ではなく、「シュメール」と「長音記号」を入れて表記されることが多いが、これには理由がある。第二次世界大戦中に「高天原《たかまがはら》はバビロニアにあった」とか、天皇のことを「すめらみこと」というが、それは「シュメルのみこと」であるといった俗説が横行した。そこで、我が国におけるシュメル学の先達であった中原与茂九郎《よもくろう》先生（京都大学名誉教授）が混同されないように音引きを入れて、「シュメール」と表記された。この話を中原先生から三笠宮崇仁《みかさのみやたかひと》様は直接うかがったという。こうした事情をふまえて、本書では「シュメール」よりも、「シュメル」の方がアッカド語の原音に近い表記でもあり、「シュメル」を採用した。

＊本文中の王名の後の年代は在位年を示す。

シュメル―人類最古の文明　目次

＊口絵の楔形文字はキエンギ（シュメル）を表す（本文五ページ参照）
＊口絵デザイン・中央公論新社デザイン室

# 本書関連年表

| 年代 | 事項 |
|---|---|
| (紀元前)八〇〇〇 | **新石器時代** |
| | 農耕開始 |
| | 最古のトークン |
| 七〇〇〇 | 後半　最古のスタンプ印章 |
| 六〇〇〇 | **ハッスーナ文化期**（－五〇〇〇） |
| 五〇〇〇 | **ウバイド文化期**（－三五〇〇） |
| 三五〇〇 | **ウルク文化期**（－三一〇〇） |
| 三二〇〇 | ウルク古拙文書出土 |
| 三一〇〇 | **ジェムデト・ナスル期**（－二九〇〇） |
| 三〇〇〇 | ナルメル王のエジプト統一 |
| 二九〇〇 | **初期王朝時代**（－二三三五） |
| | **第Ⅰ期**　二九〇〇－二七五〇 |
| | **第Ⅱ期**　二七五〇－二六〇〇 |
| | **第ⅢA期**　二六〇〇－二五〇〇 |
| | **第ⅢB期**　二五〇〇－二三三五 |
| 二八〇〇 | ウル古拙文書（－二六〇〇） |
| 二七五〇 | メバラシの王碑文（キシュ市） |
| 二六〇〇 | ウル王墓 |
| 二五〇〇 | ファラ文書 |
| | メスアンネパダ王（ウル市） |
| | ウルナンシェ王朝（ラガシュ市）成立 |
| | エアンナトゥム王（ラガシュ市） |
| | シュメル語楔形文字の文字体系整備 |
| 二四〇〇 | エブラ市、マリ市繁栄 |
| | エンメテナ王（ラガシュ市） |
| | エンシャクシュアンナ王（ウルク市） |
| | ルガルザゲシ王（ウンマ、ウルク市）がラガシュへ侵攻 |
| 二三三四 | **アッカド王朝時代**（－二一五四） |
| | サルゴン王がルガルザゲシを破りシュメル・アッカドを統一 |
| 二二〇〇 | グティ人の侵入 |
| | グデア王（ラガシュ市） |
| 二一二〇 | ウトゥヘガル王がグティ人を撃退 |
| 二一一二 | **ウル第三王朝時代**（－二〇〇四） |
| | ウルナンム王の統一 |
| 二〇二五 | **ラルサ王朝**（－一七六三） |
| 二〇一七 | **イシン第一王朝**（－一七九四） |
| | イシュビ・エラ王（二〇一七－一九八五） |

| | |
|---|---|
| | イディン・ダガン王（一九七四－一九五四） |
| | リピト・イシュタル王（一九三四－一九二四） |
| 二〇〇四 | ウル第三王朝、エラムの侵入で滅亡 |
| 二〇〇〇 | 古アッシリア（－一六〇〇） |
| 一八九四 | **バビロン第一王朝時代**（－一五九五）<br>ハンムラビ王（一七九二－一七五〇）<br>『ハンムラビ「法典」』 |
| 一五九五 | ヒッタイト古王国の急襲でバビロン第一王朝滅亡 |
| 一五〇〇 | **カッシート王朝**（－一一五五）**この頃成立**<br>この頃中期アッシリア（－一〇〇〇） |
| 一四〇〇 | アマルナ時代（－一三四〇） |
| 一二〇〇 | 「海の民」の侵攻、ウガリト滅亡<br>エラムのバビロニア侵攻 |
| 一一五七 | イシン第二王朝（－一〇二六） |
| 一一五五 | カッシート王朝、エラムの侵入で滅亡 |
| 一〇〇〇 | **新アッシリア帝国時代**（－六〇九）<br>シャルマネセル三世（八五八－八二四） |
| | アッシュル・バニパル王（六六八－六二七） |
| 八〇〇 | この頃ギリシア、ポリス社会成立（－四〇〇） |
| 七七六 | ギリシア、第一回オリンピック |
| 六二五 | **新バビロニア時代**（－五三九）<br>ナボポラッサル王（六二五－六〇五）<br>ネブカドネザル二世（六〇四－五六二）<br>ナボニドス王（五五五－五三九） |
| 六一二 | ニネヴェ市陥落 |
| 六〇九 | 新アッシリア帝国滅亡 |
| 五九四 | ギリシア、ソロンの改革「重荷おろし」 |
| 五五〇 | **アケメネス朝ペルシア時代**（－三三〇）<br>キュロス二世（五五九－五三〇） |
| 五三九 | キュロス二世バビロン入城 |
| 四八〇 | ヘロドトス（－四二〇）『歴史』 |
| 三三一 | アレクサンドロス大王（三世、前三三六－三二三）バビロン入城 |
| 三三〇 | アケメネス朝ペルシア滅亡 |

前二〇〇〇年紀まではおおよその年数を示す
王名のあとの（　）内は治世年を示す

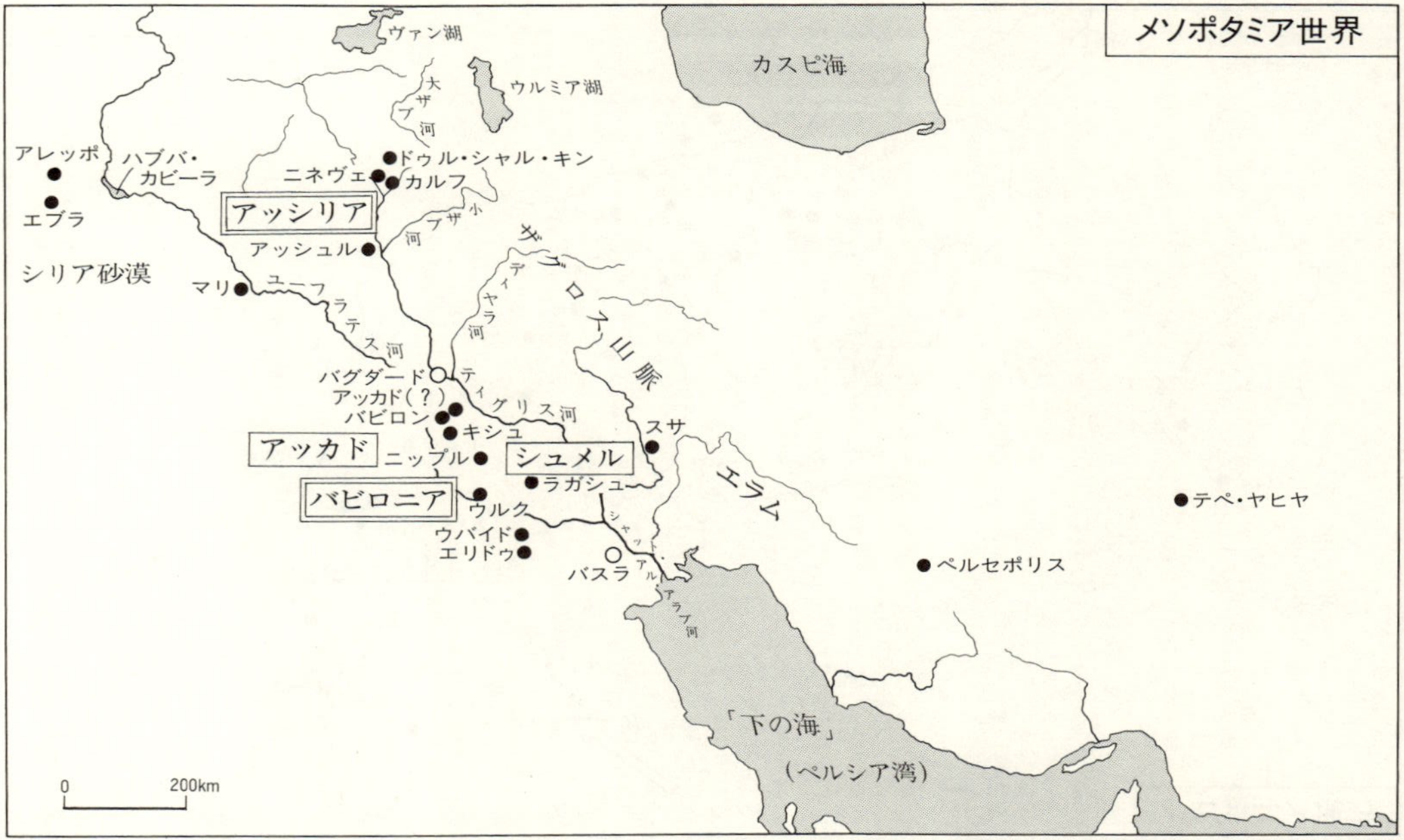
メソポタミア世界
ヴァン湖
ウルミア湖
カスピ海
大ザブ河
小ザブ河
アレッポ
エブラ
ハブバ・カビーラ
シリア砂漠
ドゥル・シャル・キン
ニネヴェ
カルフ
アッシリア
アッシュル
マリ
ユーフラテス河
ディヤラ河
ザグロス山脈
バグダード
ティグリス河
アッカド(?)
バビロン
キシュ
アッカド
ニップル
シュメル
ラガシュ
スサ
バビロニア
ウルク
ウバイド
エリドゥ
バスラ
シャット・アル・アラブ河
エラム
ペルセポリス
テペ・ヤヒヤ
「下の海」
(ペルシア湾)
0
200km

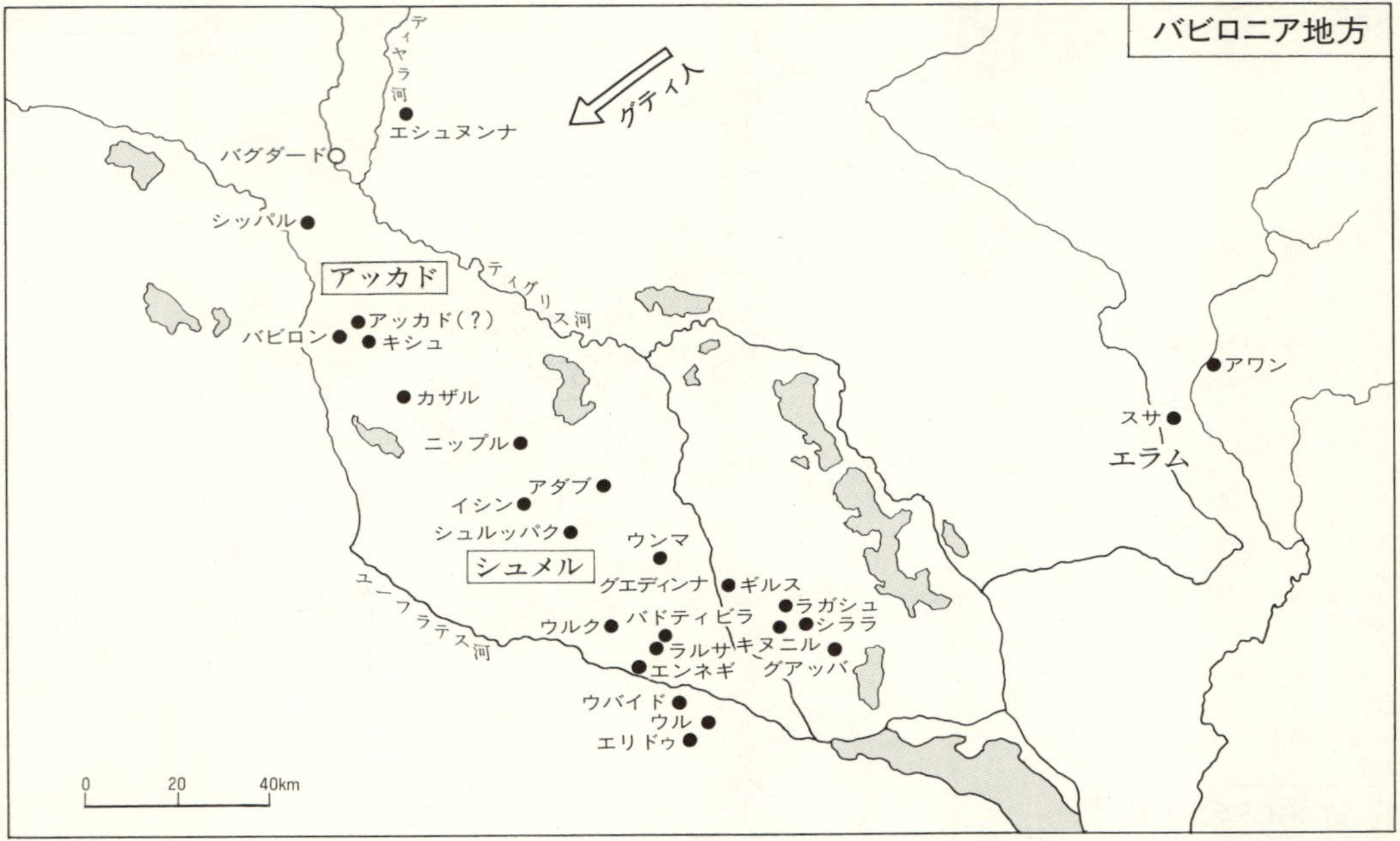
バビロニア地方
ティヤラ河
エシュヌンナ
グティ人
バグダード
シッパル
アッカド
ティグリス河
アッカド(?)
バビロン
キシュ
カザル
ニップル
アダブ
イシン
シュルッパク
ウンマ
シュメル
ユーフラテス河
グエディンナ
ギルス
ラガシュ
シララ
バドティビラ
ウルク
ラルサ
キヌニル
エンネギ
グアッバ
ウバイド
ウル
エリドゥ
アワン
スサ
エラム
0
20
40km

# 序章
# むかしイラクは……
## メソポタミアの風土

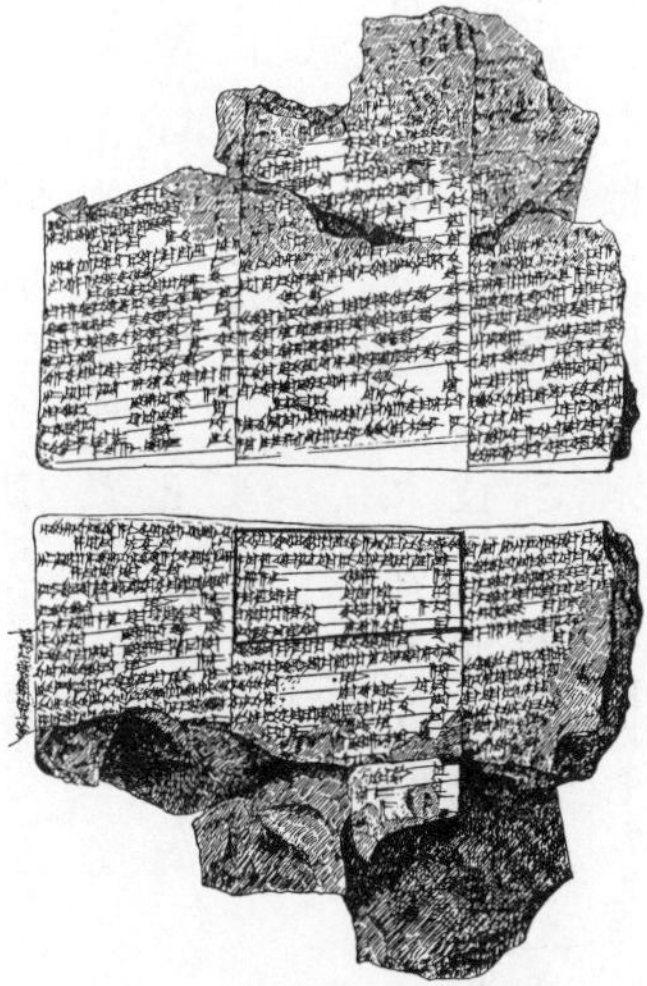

**シュメル語版『大洪水伝説』文書断片**

西アジアで発掘をおこなうさいには、考古学者に混じって、「粘土板読み」と呼ばれる学者が同行することがしばしばある。先史時代やイスラム時代以降の遺跡は別にして、歴史時代の多くの遺跡からは粘土板文書が出てくるので、これに書かれている楔形文字を読むための学者である。

粘土板に書かれた楔形文字は読みにくい。それでも虫めがねを使って凝視していると、文字が浮かび上がってくる。写真に撮っても読みにくいので、結局粘土板に刻まれた楔形文字は一字一句間違えないように紙に写す作業をするしかない。こうした根気の要る基礎作業を終えて、その後で書かれた内容が翻訳される。

図はニップル市で発見されたシュメル語版『大洪水伝説』粘土板文書断片の表裏をシュメル学者A・ペーベルが手写したものである。ペンシルヴェニア大学博物館蔵

# ティグリスとユーフラテスの間で

## 「洪水伝説」の起源

七日と七晩の間、大洪水が国土で暴れ、
巨大な船が洪水の上を漂った後で、
ウトゥ神が昇って来て、天と地に光を放った。
ジウスドゥラは巨大な船の窓を開いた。

（シュメル語版『大洪水伝説』）

水は、人間をはじめとするすべての生物にとってなくてはならないものである。だが同時に、水はまた怖いものでもある。科学技術が発達した二一世紀になっても、津波や大洪水のような自然の脅威を前にすると人間は小さな存在で、なにもできない。いわんや、科学知識が未発達であった古代社会では、圧倒的な水の力を前にしたとき、その恐怖はいかばかりであったか。人間は無力であることを痛感させられたであろう。だが、人間はうちのめされたままではなく立ち直りうることを、後世に伝えようとした。これが世界各地にさまざまな形で「洪水伝説」が分布している理由である。

「洪水伝説」のなかでも最もよく知られているのが、次に紹介する『旧約聖書』（本来ユダヤ教徒の聖典でキリスト教徒によって採り入れられたもの）「創世記」の「ノアの大洪水」である。

　地上に人の悪が増したことから、神は大洪水を起こして人間を滅ぼそうと考えるが、「神にしたがう人」ノアだけは助けてやろうと箱船を作らせた。雨が四〇日四〇夜降り続け、洪水は四〇日間地上を覆い、箱船にいたノアとその家族や家畜以外は死に絶えた。一五〇日の後に水が引き、箱船はアララト山の上に止まった。

「創世記」には河が氾濫《はんらん》したとは書かれていないが、この大洪水は大河の氾濫が引き起こしたものであり、『旧約聖書』の主な舞台であるイスラエルで起きたことではないと考えられている。なぜなら現在のイスラエル国の地図を見ても、大洪水が起こるような大河はない。

　それでは「創世記」の大洪水とはどの大河のものだろうか。大河といえばイスラエルに近いエジプトにはナイル河がある。たしかに、ナイル河では洪水は起きたが、定期的に起こり、いつ起きるかがわかっていた。前もってわかっていれば、人間は洪水に備えることができ、脅威ではなかった。そこで定期的に洪水が起きるナイル河は「洪水伝説」の舞台とは考えにくい。

　西アジア世界の大河といえば、ユーフラテス河とティグリス河である。この両河をめぐっては、さまざまな大洪水の伝説がある。「ノアの大洪水」も両河の大洪水を伝える伝説にさかのぼれそうだ。以下では、この両河のあらましと洪水伝説を見てみよう。

## 「(両)河の間の土地」メソポタミア

「(両)河の間の土地」を意味するギリシア語を「メソポタミア」という。現在はその大部分がイラク共和国に属する。ストラボン(前六四―後二三年頃、ギリシア人の歴史・地理学者)はメソポタミア北部のことをメソポタミア、そしてメソポタミア南部をバビロニアと呼んでいるが、大プリニウス(二三―七九年頃、ローマの政治家で博物学者)の頃になると両河の流域全体を通じてメソポタミアと呼ぶようになった。

メソポタミアは大きく二つの地方に分けられる。現在のイラク共和国の首都バグダードよりも北方を境として、北部がギリシア語で「アッシュルの土地」を意味するアッシリア、南部が「バビロンの土地」を意味するバビロニアである。

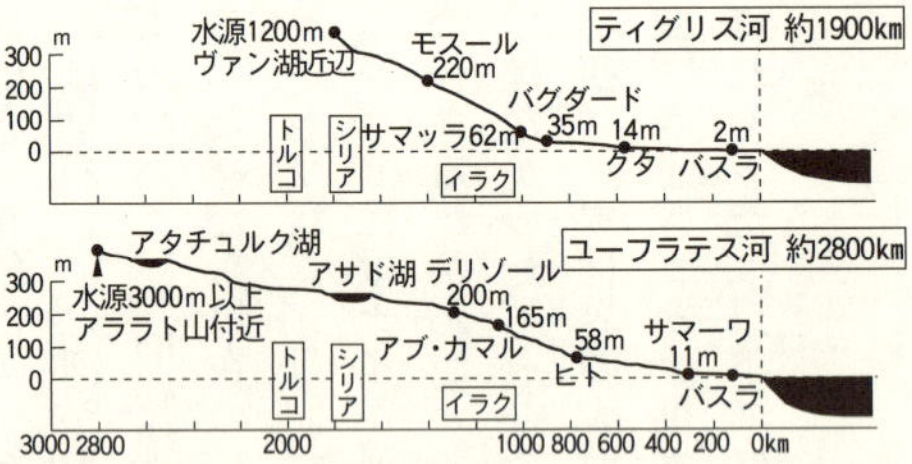

両河の流れ

両河ともアナトリア東部の山中から流れ出て、平原に降りペルシア湾(アラビア湾ともいう)に注ぎ込む。ところで、バビロニアはティグリス・ユーフラテス両河が押し流して来た泥土が堆積《たいせき》してできた平野で、頻繁にしかも突然に洪水に襲われた土地である。シュメル語で「突然に」「急に」を意味する語はアマルカムというが、この語は字義通りには「洪水だ」の意味である。

バビロニアはさらにニップル市（アッカド語名、シュメル語ではニブル、現代名ヌファル）を境に北部をアッカド、南部をシュメルといった。シュメルという地名はアッカド語で、シュメル語ではキエンギというが、この語の意味はわからない。シュメルはペルシア湾付近の低地帯であって、シュメルの古代都市はユーフラテス河流域に発達した。

古代メソポタミア文明はこのシュメルから始まった。

## 「両河の賜物」

恐るべき洪水は同時に肥沃《ひよく》な土壌をもたらし、豊かな収穫を約束した。こうした土壌の豊かさが人々をバビロニアに惹きつけた。人間の歴史は飢えとの戦いで、いかにして食糧を確保したかの歴史ともいえる。ところが、この地に住めば、たとえ洪水の心配はあっても食糧確保の問題からは解放された。

「歴史の父」ヘロドトス（前四八〇―四二〇年頃）は古代エジプト文明を「（ナイル）河の賜物《たまもの》」（『歴史』巻二、五）といったが、メソポタミア文明もまた「両河の賜物」であった。両河は一に飲料水や灌漑用水、二に交通路となり、三に棲息《せいそく》する魚、水鳥などが食糧ともなった。

## 「銅の河」ユーフラテス河

ティグリス河、ユーフラテス河はバスラ付近で一本に合流しシャット・アル・アラブ河とし

(上)雪を頂くアララト山
(下)ユーフラテス河（シリア領内）

てペルシア湾に入る。

ユーフラテス河はシュメル語では「ブラヌン」、アッカド語では「プラトゥム」と呼ばれた。シュメル語「ブラヌン」の語源はわからない。シュメル人に先立ってバビロニア南部に入ったウバイド人（後述）の言葉ではないかともいわれている。ギリシア語では「エウフラテス」と呼ばれ、これがユーフラテス河の語源となり、現代アラビア語でも「アルフラート」と呼ばれている。

ユーフラテス河はアナトリア東部のアララト山（五一六五メートル）付近の水源から河口付近の都市バスラまで約二八〇〇キロメートルもある西アジア最長の河川で、船舶交通が発達した。文明生活を営むには金属が必要であるが、最初に用いられた金属は銅であった。銅の鉱石がペルシア湾をさかのぼって運ばれて来た。

交易の大動脈であったことはユーフラテス河の別名ウルドゥ河（「銅の河」の意味）が物語っているし、シュメルの諸都市はこの河の畔《ほとり》で繁栄した。前二〇〇〇年紀のはじめからヘレニズム時代までオリエント世界第一の都市と謳《うた》われたバビロン市もまた、ユーフラテス河畔の都市であった。

## ティグリス河と虎

一方、ティグリス河は水源から河口まで約一九〇〇キロメートルと、ユーフラテス河に比較して短いが、アッシリアの古都ニネヴェ市（ヘブライ語名、古代名はニヌア、現在のモスール市東岸）やアッシュル市（現代名カルアト・シェルカート）はティグリス河畔に発展した。イラク共和国の首都バグダードもティグリス河畔にある。

ティグリス河はしばしば洪水を起こし、古来暴れ河として有名であった。支流が山地から直接本流に流れ込むために水位が急増し、一日で四メートルも増水することも珍しくはなかったようだ。

静かに流れるティグリス河（トルコ領内）

ティグリス河はシュメル語では「イディギナ」、アッカド語ではその借用語で「イディグラト」と呼ばれていた。「ティグリス」はギリシア語で、古代ペルシア語「ティグラー」からの借用語という。ティグラーとは「尖った」の意味で、アヴェスタ語（ゾロアスター教の聖典『アヴェスタ』に用いられている言語）では「ティグリ」（矢）となる。ティグリス河とは「矢のように速く流れる河」の意味である。

ギリシア語「ティグリス」には「虎」の意味もある。「矢のように速く走る動物」に由来し、英語の「タイガー」の語源になる。虎はイラン高原東北部などのごく限られた地域にはいたものの、メソポタミアでは知られていなかったようだ。中央アジアやインドには虎がいたことから、これらの地方との交流が生まれ、虎の存在を知ったときにこのような名前を付けたのだろう。

現代アラビア語ではティグリス河を「ダジュラ」河というが、これはアッカド語の「イディグラト」や古代ペルシア語の「ティグラー」に由来する。

## 「鯉の洪水」

エジプトではナイル河の定期的な洪水が期待されていたが、一方のメソポタミアでも洪水は恐れられつつも期待された。農耕民にとって水の問題は切実であった。シュメル人は生産力が落ちるのは豊饒《ほうじょう》を司《つかさど》る神ダムが冥界《めいかい》に移り住んだからであるとして、『ダム神挽歌《ばんか》』を作ってダム神の復活を祈願した。この挽歌のなかでは「ダム神が鯉《こい》の洪水を生んだ」と歌われている。「鯉の洪水」とは晩秋の洪水のことである。バビロニアは寒暑の激しい土地で、五月から一〇月までは乾季で暑いが、冬は雨季で寒い。この洪水によって耕作の準備ができた。だが、人間の期待する通りのちょうど良い量の洪水にはならず、大きな被害をもたらすことが度々あった。

イギリスの考古学者C・L・ウーリー指揮のもとに、大英博物館とペンシルヴェニア大学が一九二二年からウル遺跡（現代名テル・アル・ムカヤル）の発掘を開始し、一九二九年に前三五

○○○年頃の洪水層を発見した。洪水層とは洪水が上流から運んで来た粘土の層で、厚さが二・四メートルもあった。ほかの都市からも同じような洪水層が発見されていて、両河の大洪水は一回だけでなく、各地で何回もあって、おそらく甚大な被害を人々の生活にもたらしたにちがいない。洪水層と「洪水伝説」は直接結びつかないものの、伝説成立の背景となったことは間違いないであろう。

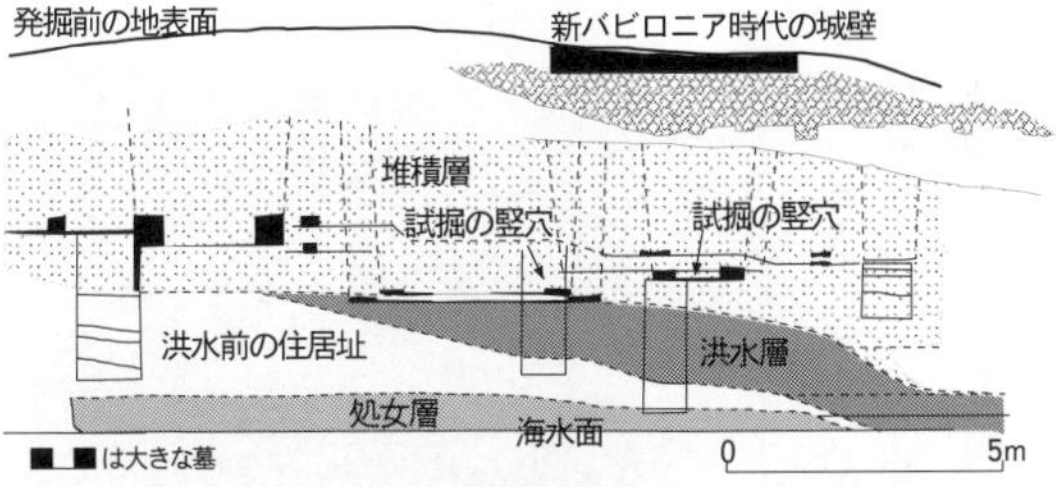

洪水を示す地層断面図（ウル遺跡）

### ベロッソスの伝える「洪水伝説」

バビロニアの「洪水伝説」は古くから知られていた。前三世紀にバビロン市の神官であったベロッソスは『バビロニア史』をギリシア語で書いて、王に献上した。原文は残存せず、全体は不明であるが、この『バビロニア史』はおおよそ次のように「洪水伝説」に触れている。

ギリシアの大神クロノス神が、夢でクシストロスという男に大洪水によって人類が滅亡することを告げる。クロノス神はすべての文書をシッパル市（現代のアブー・ハッバハとテル・エッ・デール両遺跡）に埋め、船を作って家族や鳥獣を乗せるようにクシストロスに命じた。大洪水が起こった後、洪水が収まったかどうかを知るためにクシストロスは鳥を放つ。三度目に放ったときに、鳥は戻らず、水が引いたこと

『ギルガメシュ叙事詩』第11書板（大英博物館蔵）

を知る。そのとき、船はアルメニアに漂着していた。

## 『ギルガメシュ叙事詩』と『アトラ（ム）・ハシース物語』

『バビロニア史』より約一〇〇〇年も前に書かれた『ギルガメシュ叙事詩』第一一書板には、「ノアの大洪水」とよく似た次のような内容が含まれていることに、大英博物館の遺物修理員をしていたG・スミスが気づいた。

アッカド語文学の傑作『ギルガメシュ叙事詩』は邦訳がいくつか出版されているので、古代メソポタミアの文学作品のなかでも我が国で最もよく知られた作品である。ウルク市の王ギルガメシュ（シュメルのギルガメシュについては第八章参照）を主人公にした冒険譚《ぼうけんたん》と、主人公の精神的成長を主題とした古代メソポタミア版教養小説ともいえ、メソポタミアのみならず古代オリエント世界で広く、長く好まれた。

ギルガメシュは親友エンキドゥの死に遭遇し、死すべき人の定めを恐れ、永遠の生命を求めて旅に出、「不死の人」であるウトゥナピシュティム（シュメル語ではジウスドゥラ）の存在を知る。「不死」について訊《たず》ねると、ウトゥナピシュティムは大洪水の話を語りはじめる。理由は書かれていないが、神々は大洪水を起こすことを企む。ウトゥナピシュティムはエア神の助けを得て、船を作って逃れる術《すべ》を知る。洪水が起こり、やがてウトゥナピシュティムの乗る船はニシルの山に漂着する。最初は鳩《はと》、次には燕《つばめ》を放つが戻って来た。最後に大烏《おおがらす》を放つが、戻って来なかったので、洪水が引いたことを知る。

『ギルガメシュ叙事詩』を現代に紹介したスミスはその後自らメソポタミアへ発掘に赴き、「洪水伝説」も含む『アトラ（ム）・ハシース物語』断片などを発見するが、惜しくも早世してしまう。

『アトラ（ム）・ハシース物語』は次のように語っている。

労働を肩代わりさせるために創造された人間が増えすぎ、神々を悩ます。立腹したエンリル神は人間を滅ぼすことを企むが失敗し、ついに大洪水を送ることにする。エア神から洪水を知らされたアトラ（ム）・ハシースは船に家族や動物を乗船させる。大洪水で人類は滅亡するが、アトラ（ム）・ハシースが助かったことでエア神は神々から非難され、再び人間が増えすぎることのないように戦争と不妊が定められた。

**『大洪水伝説』**

『ギルガメシュ叙事詩』と『アトラ（ム）・ハシース物語』はアッカド語で書かれていたが、その後さらに古い、シュメル語で書かれた『大洪水伝説』が発見されている。

**魚が泳ぐ流水の壺を手にしたエンキ神**　足下には山羊魚。前2100年頃、円筒印章印影図

シュメル語版『大洪水伝説』は前二〇〇〇年紀前半に粘土板に書かれたようで、ニップル市から出土したが、物語全体の四分の一ぐらいしか残っていない。これが現在さかのぼれる世界最古の「洪水伝説」である。『ギルガメシュ叙事詩』のウトゥナピシュティムに相当する主人公はジウスドゥラという。ジウスドゥラとはシュメル語で「永遠の生命」を意味する。

この物語によれば、神々が人間を創造した後に五つの町が建造され、五番目の町がシュルッパク市（現代名ファラ）であった。原文が欠損しているので理由は不明だが、神々は人間の種を滅ぼすために大洪水を送る決定をする。知恵の神エンキはシュルッパクの主ジウスドゥラにひそかに大洪水のことを伝える。ジウスドゥラは船を作り、動物を乗せる。この後に欠損部分があるが、大洪水から逃れ、「人間の種（＝子孫）を守った」ジウスドゥラは永遠の生命を与えられ、「楽園」ディルムンに住むことになった。ディルムンは現在のバハレーンおよびファイラカ島を中心とした地域とされている。

### 「羅針盤」の鳥

「ノアの大洪水」物語では、ノアは洪水の水が引いたことを確認するために烏と鳩を放ち、鳩がオリーブの葉をくわえてきたことで、水が引いたことを知る。

ベロッソスの伝える「洪水伝説」やアッカド語版『ギルガメシュ叙事詩』でも鳥が出てきて、洪水が引いたかを確認させている。『アトラ（ム）・ハシース物語』『大洪水伝説』では残存している文書に鳥を放つ話が見られないが、船に鳥は必要であった。

シュメル地方はペルシア湾およびインダス河流域などと交易関係を持っていた。羅針盤がない時代であり、海を航海するときにはできるだけ陸地を視界におさめて進む沿岸航法を採らざるをえない。そこで陸地が見えなくなったときにそなえて陸鳥を乗せていた。方角がわからなくなったら、鳥を放ち、鳥は陸地が見つかれば戻って来ない。実際の航海でこの「羅針盤」の役割をしていた鳥の話が、「洪水伝説」のなかに入れられたのであろう。

### 救いの神

シュメルの『大洪水伝説』から『旧約聖書』の「ノアの大洪水」まで、大洪水は神々の意思によって起こされ、ある特定の人間のみが船に乗って難を逃れるという主題は一貫している。

現代人はたとえば両河上流での早い雪解けが大洪水の原因になることを知っている。だが、古代人はこうした合理的理由はわからなかった。大洪水が起こり、家が流され、畑の作物や家畜が全滅し、多くの人々の命が奪われる。なにも悪いことをしていないのに、なぜひどい目にあうのだろうと考えたときに、神々が人間を滅ぼすために大洪水を引き起こしたと理由付けをして、不条理なできごとをなんとか納得させたのではないだろうか。

だが、これだけでは救いがない。洪水に負けずに生きて行く人間の支えとして、クロノス神やエンキ神のように主人公を助ける神を登場させている。

古代メソポタミア文明は、洪水に象徴される天災、そして戦争のような人災に繰り返し打ち負かされながらも、そのつど自助努力によって立ち上がって行った「人々の努力の賜物」でもあった。メソポタミアにその足跡を残した人々のおよそ三〇〇〇年の歴史の流れを次にたどってみよう。

## メソポタミア文明のあけぼの

### 交通の要衝

周囲が開けているメソポタミアでは異民族の侵入が繰り返された。メソポタミアが不毛な土地であったならば、誰も侵入しない。穀物のよく実る、豊かな土地であるメソポタミアなればこそ誰もが住みたがった。また富を生み出す交易活動には両河とペルシア湾を結ぶ交通路が利用できた。西アジア世界全体を眺めたときに、交通の要衝としてのメソポタミアが占める重要性は、前四〇〇〇年紀後半から前三〇〇〇年紀のシュメル人が活躍した時代も、前四世紀にアレクサンドロス大王（三世、前三三六―三二三年）がやって来たときも、そして現在も共通している。

メソポタミアの歴史には次から次へと新しい民族が登場し、しかも南部バビロニアと北部アッシリアに別々の王朝が樹立され、前一〇〇〇年紀に入って、ようやく新アッシリア帝国のもとで南北が統一される。

**野生山羊文様の彩文土器断片**（テルロー出土、前4000年紀中頃、ルーヴル美術館蔵）

### メソポタミア文明のはじまり――ウバイド文化期

メソポタミア南部のバビロニア地方に最初に人々が定住したのは前五〇〇〇年頃であった。ウバイド文化期（前五〇〇〇―三五〇〇年頃）のはじまりである。ウバイドはウル市西方六キロメートルに位置する遺跡名である。ウバイド、エリドゥなどの遺跡からは濃い茶褐色の文様を特徴とする「彩文土器」が出土している。

すでに前八〇〇〇年頃にはザグロス山脈の山麓地帯で雨水に頼る原始農耕（天水農耕）が始まっていたが、ようやくこの頃にバビロニアの乾燥地帯でも灌漑農耕が始まり、大麦が栽培されて安定した収穫を得ることが可能になった。

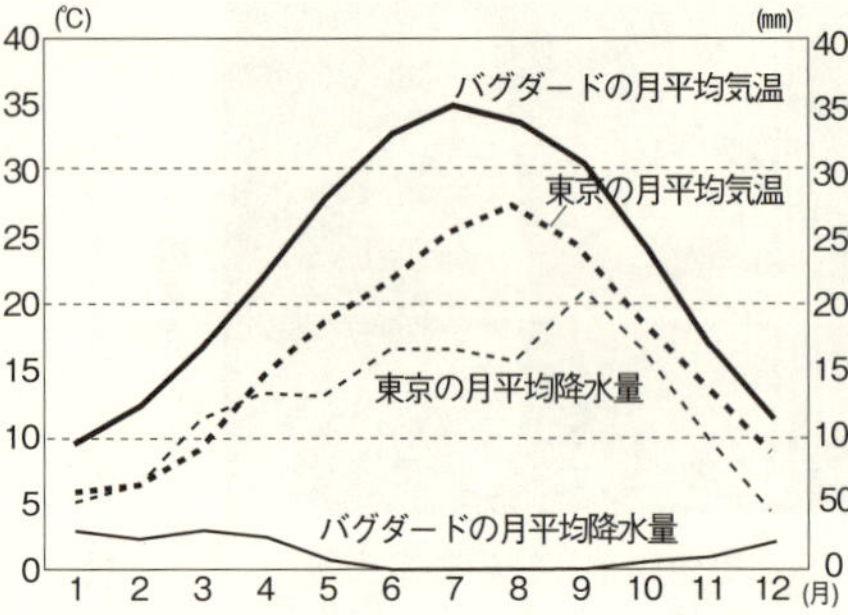


バグダードの降水量と気温

バビロニアは夏暑い土地柄で、現在のイラクの平野部では七月、八月の昼間の暑いときには五〇度にもなり、夜になると三〇度以下になる。年間降水量はわずか一五〇ミリメートルと少ない。農業をおこなうためには、天水農耕は無理で、灌漑が不可欠であった。

ウバイド文化期後期には大きな町が成立し、交易も活発におこなわれるようになった。交易が頻繁になれば、多くの物品の名前や数量を頭だけではとても覚えきれない。そこで、人々は工夫をした。「第一章　文字はシュメルに始まる——楔形文字の誕生」で、文字の誕生にいたる経緯そしてその後の展開について話をしよう。

なお、ウバイド文化の担い手についてはシュメル人だともいわれるが、わからない。シュメル人は短頭だが、最古の住民は長頭であったこと、地名などで文字の綴《つづ》りがシュメル語では説明できない語があることから、シュメル人でもセム人でもない、第三の人々が存在した可能性があるといわれ、この第三の人々はウバイド文化を作った人々のことであるとして、「ウバイド人」と呼ぶこともある。

シュメル学者S・N・クレーマーはシュメル人によって征服されたウバイド人がインダス文

明誕生に貢献したとの大胆な仮説を出しているが、確証されてはいない。

## 都市文明の歩み――ウルク文化期

次のウルク文化期（前三五〇〇―三一〇〇年頃）に、都市文明成立の時代を迎える。ことにウルク文化期後期になると、支配階級や専門職人や商人が現れ、巨大な神殿が造られ、文字が発明され、新しい美術様式などの都市文明が開花した。

ウルク文化期後期に作られた貴重な「ウルク出土の大杯」については、「第二章『ウルク出土の大杯』が表す豊饒の風景――努力の賜物」で紹介しよう。この頃に、ウバイド文化期には見られなかった円筒印章やリムーヘン煉瓦《れんが》（横長の煉瓦）および次の時代になるがプラノ・コンヴェクス煉瓦（かまぼこのような形をした煉瓦）が登場した。異説もあるが、こうしたものの出現をもって、シュメル人のバビロニアへの到来と考える。

「第三章　元祖『はんこ社会』――目で見るシュメル社会」は円筒印章を中心に、日本人がいまでも使っているはんこの話を紹介する。

**プラノ・コンヴェクス煉瓦**
横に平らに並べた列とやや傾けて積んだ列を繰り返すという特異な積み方をして杉綾文様などを作り出す

## 主役はシュメル人

メソポタミアの最南部シュメルの地で前四〇〇〇年紀後半に開花した都市文明は前三〇〇〇年紀にはさらに発展した。シュメル人は民族系統不詳だが、シュメル語は日本語と同じ膠着語《こうちゃくご》に分類されている。前三〇〇〇年紀はバビロニア全域に都市文明が広まるジェムデト・ナスル期（前三一〇〇－二九〇〇年頃）に始まり、初期王朝時代（前二九〇〇－二三三五年頃）、アッカド王朝時代（前二三三四－二一五四年頃）およびウル第三王朝時代（前二一一二－二〇〇四年頃）に分けられる。

初期王朝時代はさらに第Ⅰ期（前二九〇〇－二七五〇年頃）、第Ⅱ期（前二七五〇－二六〇〇年頃）、第ⅢA期（前二六〇〇－二五〇〇年頃）、第ⅢB期（前二五〇〇－二三三五年頃）と細分される。

前二九〇〇年頃に始まる初期王朝時代は先サルゴン《プレ》時代ともいわれ、シュメルの有力な都市国家が分立していて、覇権、交易路や領土問題で争った。古代ギリシアのポリス社会（前八－四世紀頃）や中国の春秋戦国時代（前七七〇－四〇三年、前四〇三－二二一年）の都市国家と同様に、シュメルでも都市国家が抗争を繰り返した。

### 都市国家

シュメルの都市国家は都市神（都市を守護する最高神）を祀《まつ》る神殿を中心に形成された。神殿は都市の中心に位置して、ほとんど場所が変わることはなかった。シュメルの都市国家のなかで最も古いエリドゥ市（現代名アブ・シャハライン）では、都市神エンキ神の神殿がウバイド文化期からウル第三王朝時代まで、同一の場所で連続して建てかえられ、時代を追うごとに拡大されたことが発掘によってわかっている。

ウルク市（現代名ワルカ）でも神殿は都市の中心部にあり、ウルク文化期後期にはコーン・モザイク（頭部を彩色した粘土製あるいは石製で円錐《えんすい》形の釘《くぎ》を使ったモザイク）で美しく装飾された巨大な神殿が建てられていた。

都市の形状はそれぞれの都市でちがっていた。ウルク市は大きく、ほぼ円形で、全長約九・

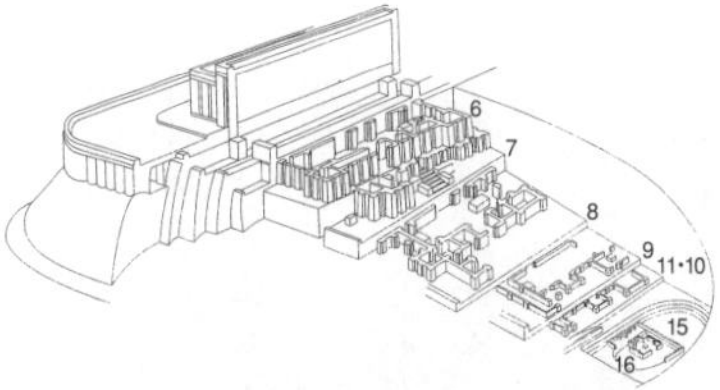


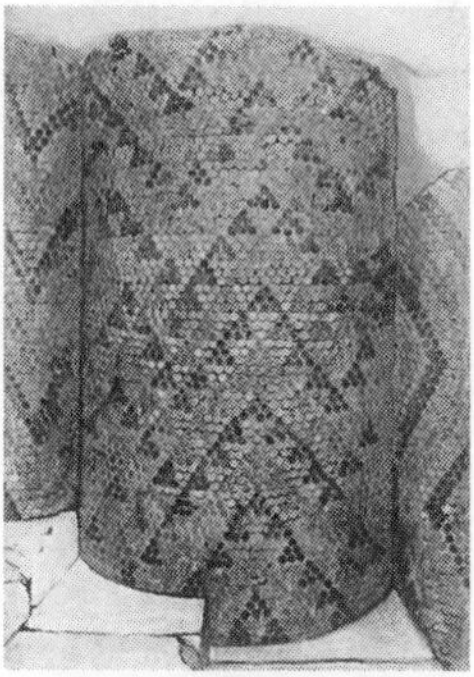

（上）エンキ神の神殿（エリドゥ市）　ウバイド文化期の16－6層の神殿の連続した発展がわかる
（中）コーン・モザイクの円柱　ウルク市、前4000年紀後半
（下）彩色されたロゼット文の飾り釘

五キロメートルの城壁に囲まれていた。ニップル市（二一四ページ図参照）は運河が都市の真ん中を流れ、二つの地区に分かれ、それぞれが長方形の城壁に囲まれていた。

いずれにしても、都市の中心には神殿があり、その外側に人々の居住地区があった。ウル市から前二〇〇〇年紀前半の居住地区が発掘されたが、雑然として、都市計画があったとはとうてい考えられない。住宅は中庭に面して部屋を配置する現在の西アジアで採用されている住居と同様である。

## 『シュメル王朝表』

初期王朝時代の都市国家の興亡をたどるさいには『シュメル王朝表』（『シュメル王名表』ともいわれる）が利用されている。『シュメル王朝表』もまた大洪水の記述があるが、なぜ起きたかは語られていない。大洪水以前の五都市および大洪水以降の都市の名前が次から次へと挙げられている。各都市の個々の王名と治世年数および合計の王の数と治世年数を記し、各時期に有力であった都市または王朝、諸王の年数を羅列している。『シュメル王朝表』では王権はたとえばA市からB市へ、B市からC市へと移ったことにされているが、実際にはA、B、C市は同時期に共存していた場合もあった。

『シュメル王朝表』にはなぜか当時の有力都市、ニップル市やラガシュ市が含まれていないが、ラガシュ市については『ラガシュ王名表』がある。『ラガシュ王名表』も「大洪水が（すべて

（上）『シュメル王朝表』が刻まれた写本（高さ20cm、アシュモール博物館蔵）

（右）『シュメル王朝表』　ウル第三王朝は4王ではなく実際には5王、イシン（第一）王朝は13王ではなく実際は14王

| 都市名 | 王数 | 合計統治年数 |
|---|---|---|
| エリドゥ | 2 | 64,800 |
| バドティビラ | 3 | 108,000 |
| ララク | 1 | 28,800 |
| シッパル | 1 | 21,000 |
| シュルッパク | 1 | 18,600 |
| （5都市 | 8王 | 241,200） |
| 大洪水 | | |
| キシュ1 | 23 | 24,510　3月3，1/2日 |
| エアンナ（ウルク）1 | 12 | 2,310 |
| ウル1 | 4 | 177 |
| アワン | 3 | 356 |
| キシュ2 | 8 | 3,195（3,792） |
| ハマジ | 1（＋x） | 6×60（6＋x） |
| ウルク2 | 3 | ［…］ |
| ウル2 | 4 | 116 |
| アダブ | 1（＋x） | 90 |
| マリ | 6 | 136 |
| キシュ3 | 1 | 100 |
| アクシャク | 6 | 99 |
| キシュ4 | 7 | 491 |
| ウルク3 | 1 | 25 |
| アッカド | 11 | 181 |
| ウルク4 | 5 | 30 |
| グティ | 21 | 91　40日 |
| ウルク5 | 1 | 7年6月15日 |
| ウル3 | 4（5） | 108 |
| イシン1 | 13（14） | 203 |

を）押し流した後に」という文で始まっている。

前で話したように、シュメル地方では大洪水が頻繁に起こり、惨状が繰り返されていた。自然の猛威によってすべてを失った人々が立ち直り、「無」から生活を立て直していくことが繰り返されていた。こうした経験がその歴史観に反映されたのであろう。

なお、『シュメル王朝表』で列挙されている王たちのなかに一人だけ女性がいる。唯一の女王はキシュ第三王朝の「ぶどう酒の婦

シュメル人の実在を証明したテルローの発掘

人（居酒屋の女主人の意味）クババ（クバウともいう）」である。古代エジプトには女王がいたが、メソポタミアではクババを含めて女王の実在は一人も確認されていない。

## ラガシュ市

初期王朝時代第I期には、都市国家間の戦争が頻繁にあったことから城壁の内側に人々が住むようになり、第II期も戦争が続く状態は変わらなかった。第IIIA期にはキシュ市（現代名ウハイミル）のメシリム王がラガシュ、ウンマ（現代名テル・ジョハ）両市間の争いを調停するほどの勢力を示し、第IIIB期においては両市の約一〇〇年にわたる争いがラガシュの王碑文に詳細に書かれている。初期王朝時代第IIIB期の都市国家の様子をラガシュ市に見てみよう。

ラガシュ市は複数の地区からなる都市国家であった。一八七七年にE・ド・サルゼックが指揮するフランス隊が同市のギルス地区（現代名テルロー）を発掘して、シュメル語で書かれた王碑文や行政経済文書やグデア王の像などの多数の遺物が発見され、その存在が疑問視されていたシュメル人の実在を証明することになった。

ラガシュ市には複数の地区が一定の距離を置いて存在した。この点で、シュメルの都市国家のなかでは特異な存在であった。地区の詳細は不明だが、ギルス、ラガシュ地区（現代名アル・ヒバ）にはそれぞれ城壁があり、シララ（またはニーナ）地区（現代名スルグル）にも存在した可能性がある。ギルス、シララは独立国家と呼べるくらいの大きさであった。都市国家ラガシュの都市神はニンギルス神であって、この神がラガシュ市の理念上の「主人」であるが、ラガシュではさらに各地区にそれぞれの地区の守護神がいた。

| | |
|---|---|
| ギルス地区 | ニンギルス神 |
| ラガシュ地区 | バウ女神 |
| シララ地区 | ナンシェ女神 |
| キヌニル地区 | ドゥムジアブズ女神 |
| グアッバ地区 | ニンマルキ女神 |

サンガ職ドゥドゥがエニンヌ神殿のニンギルス神に奉献した奉納額

ラガシュ市の都市神ニンギルス神はギルス地区の守護神も兼ねていた。神殿にはサンガと呼ばれる最高行政官がいて、王はサンガ職を通じて各地区を支配した。

### ラガシュ市の王統

ラガシュ市については同時代の史料、つまり王碑文や行政経済文書から、第ⅢB期の歴史をたどることが

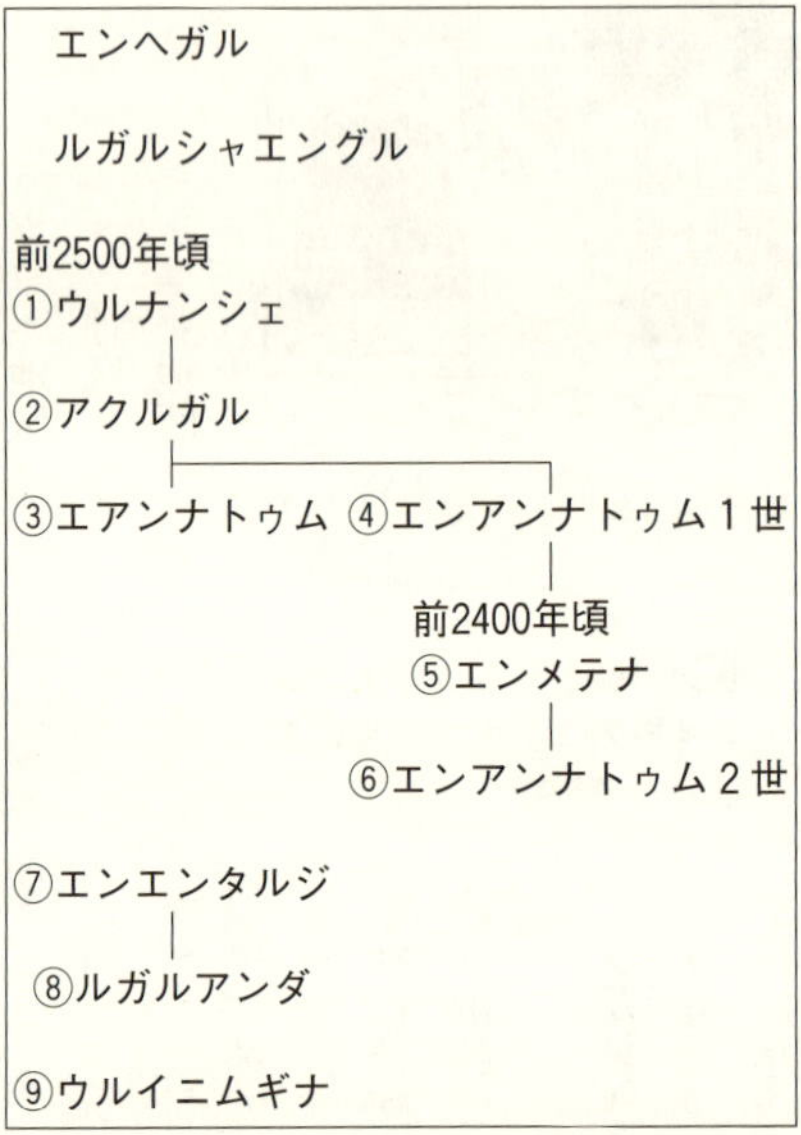


初期王朝時代のラガシュ市の王たち

できる。だがラガシュ市以外のシュメル諸都市については発掘が進展せず、いまだによくわからない。

初期王朝時代にラガシュ市を支配した王たちは、現在わかっている限りではまずエンヘガル、ルガルシャエングルの二人であって、両者ともにラガシュ市のルガル（王）を称したが、史料が少なく二人の関係も含め、詳細は不明である。

前二五〇〇年頃にウルナンシェ王を初代とする、六代にわたる世襲王朝が成立する。ウルナンシェ王朝とかラガシュ第一王朝と呼ばれる。ウルナンシェに始まる王統はアクルガル、エアンナトゥム、エンアンナトゥム一世、エンメテナ（以前はエンテメナとも読まれていた）そしてエンアンナトゥム二世で終わるが、王朝終焉《しゅうえん》の事情はわからない。

エアンナトゥム、エンアンナトゥム一世そしてエンメテナ三代の王の治世にはラガシュ市は有力であったが、一方でウンマ市と長期にわたる境界争いを続けていた。シュメル人の戦争については、「第四章　シュメル版合戦絵巻――都市国家間の戦争」で話そう。

またエンメテナ王治世の記録のなかには後代『ハンムラビ「法典」』に結実する「徳政令」の最古の例があり、これは「第五章　『母に子を戻す』――『徳政』と法の起源」で紹介する。

ウルナンシェ王朝終焉後のラガシュ市ではエンエンタルジ、ルガルアンダ父子が支配したが、ウルイニムギナ（ウルカギナともいう）に王権を簒奪《さんだつ》される。このウルイニムギナがウンマ市のルガルザゲシ王に屈服し、初期王朝時代のラガシュ市の歴史はここで終わる。

### アッカド王朝の統一

シュメル人の都市国家の分立状態を終わらせ、メソポタミア南部にはじめて統一をもたらしたのはアッカド王朝（前二三三四―二一五四年頃）の初代サルゴン王（前二三三四―二二七九年頃）であった。サルゴン王の都アッカド市はいまだに見つかっていない。

東方セム語族に属すアッカド人がいつメソポタミアに入ったかは不明だが、シュメル人とは民族的な対立はなかったようだ。しかし一方ではメソポタミアの周囲に住み、折あらば侵入しようと目論《もくろ》んでいたグティ人やマルトゥ人（アモリ人）などをシュメル人は蔑視《べっし》していた。こうした話を「第六章　『真の王』サルゴン――最古の国際社会」で見て行く。

サルゴンの娘エンヘドゥアンナ王女は学識があり、史上最古のバイリンガルといえる。「第七章　最古の文学者エンヘドゥアンナ王女――読み書きと学校」では、王女をはじめとする、古代メソポタミアの知的な世界を紹介する。

アッカド王朝は一一代約一八〇年間続いたが、早くも第五代シャル・カリ・シャリ王（前二二一七―二一九三年頃）の治世には北東の山岳地方からグティ人に侵入され衰退した。ある哀歌では「彼ら（＝グティ人）の来襲はエンリル神によって（送られた）洪水の如くであった」と謳われている。アッカド王朝の第一一代までの王の名前は伝えられているが、『シュメル王朝表』ではシャル・カリ・シャリの後は無政府状態で「誰が王であり、誰が王でなかったか（わからない）」と書かれている。

このようにバビロニア北部がグティ人の侵入で混乱している時期に、南部シュメル地方では初期王朝時代の最後にウンマ市の攻撃によって一度は滅亡したラガシュ市が復活して、グデア王の時代（前二二世紀頃）を中心に繁栄する。「第八章　紹介する神――神々の世界」では「グデア王の碑」から説き起こしてシュメルの神々の世界を見て行く。

## シュメル人最後の王朝、ウル第三王朝

前三〇〇〇年紀末に、ウルク市のウトゥヘガル王がグティ人の支配からシュメルを解放し、彼の将軍であったウルナンム（前二一一二―二〇九五年頃）がウル第三王朝（前二一一二―二〇〇四年頃）を興した。ウル第三王朝とはウル市に都を置いた三番目の王朝の意味である。

ウルナンム王は現在わかっている限りで最古の法典である『ウルナンム「法典」』の発布な

どの社会改革をおこない、シュメル全土で公共建造物を建設し、「正義の牧人」と讃《たた》えられた。「第九章『バベルの塔』を修復する王――統一国家形成と滅亡」で詳しく話そう。

ウル第三王朝は五代約一〇〇年と短期間であったが、アッカド王朝で確立された中央集権体制をさらに発展させ、繁栄した。しかし、前二〇〇四年頃に、東方からエラムに侵入されて滅亡し、これをもって、シュメル人はメソポタミア史の表舞台からは退場した。

本書で扱う時代はここまでだが、その後のメソポタミア世界がどうなったかも見ておこう。

## その後のメソポタミア

### 「アモリ人の時代」

伝ハンムラビ王頭部像
（スサ出土、ルーヴル美術館蔵）

前二〇〇〇年紀前半のメソポタミアはシリア砂漠から侵入して来た、北西セム語族のアモリ人が活躍した時代であった。アッシュル市、イシン市、バビロン市、マリ市、ラルサ市などにアモリ人の王朝が割拠した。イシン・ラルサ時代といわれる、約二五〇年間の政治的な混乱を終わらせたのはバビロン第一王朝（前一八九四―一五九五年頃）第六代ハンムラビ王（前一七九二―一七五〇年頃）であった。

ハンムラビの統一国家の理念を成文化したのが『ハンムラビ「法典」』であって、王の治世晩年に編纂《へんさん》されたようだ。施行範囲の広さ、後世への影響の大きさから古代法制史上、最大の法典である。

バビロン第一王朝はハンムラビの子の治世には早くも衰退し、北東方面にはカッシート人が出没し、南方では「海の国」第一王朝（バビロン第二王朝）が興り、そしてヒッタイト古王国の急襲によって前一五九五年頃には滅亡してしまう。

なお、イシン・ラルサ時代からバビロン第一王朝時代までを古バビロニア時代という。

## カッシート王朝以降

バビロン第一王朝崩壊後一〇〇年ほど経って、バビロニア地方に王朝を築いたのはカッシート人である。バビロンを都にした三番目の王朝であったから、バビロン第三王朝ともいわれる。この王朝の歴史はわからないことが多く、三六代の王が約三五〇年間バビロニアを支配したが、前一一五五年頃にはエラムの侵入によって滅亡した。

カッシート王朝滅亡後、バビロニアはしばらくの間エラムの支配下にあった。やがてイシン第二王朝（前一一五七―一〇二六年頃）が成立するも、この王朝もアラム人などの侵入で消滅した。その後短期の王朝が興亡し、ようやく前六二五年になって新バビロニア王国が登場した。

「アッシリアの三角形」

アッシュル市はシュメル人の植民地から始まったという。アッシリア平原は現在のイラク北部の北緯三七度付近から南方で、ティグリス河と小ザブ河の合流付近にいたり、西方はシリア砂漠へとつながる。ティグリス河の中流、上流とその支流を中心とする逆三角形の国土で交通の要衝である。ここが「アッシリアの三角形」つまりアッシリア本土であって、やがて世界帝国へと発展するが、それはアッシリアの長い歴史の最後の一五〇年にも満たない短期間であった。

アッシリアの歴史は古アッシリア時代（前二〇〇〇―一六〇〇年頃）、中期アッシリア時代（前一五〇〇―一〇〇〇年頃）、新アッシリア帝国時代（前一〇〇〇頃―六〇九年）に分けられる。

新アッシリア帝国の滅亡と新バビロニア王国の勃興

長く雌伏期を過ごしたアッシリアが歴史上で輝いたのは新アッシリア帝国時代であった。最大版図を誇ったのはアッシュル・バニパル王（前六六八―六二七年）の治世で、エジプトまで支配下に組み込んだ。王が長い治世を終えた後には、相次ぐ戦争によって国力は疲弊しきっていた。しかも王位継承を巡る内紛が絶えなかった。

新アッシリア帝国は、新バビロニア王国とイラン高原初のイラン系の王国、メディア王国との連合軍の攻撃によって、前六一二年にはニネヴェ市が陥落し、武力で切り取った帝国はあっけなく瓦解《がかい》した。前六〇九年には王統が絶えた。

ニネヴェ陥落の少し前、前六二五年にバビロニア南部の「海の国」の首領ナボポラッサル（前六二五－六〇五年）がバビロニア王を名乗った。王はアラム人の一派であるカルディア人だったことから、彼に始まる王朝は新バビロニア王国（前六二五－五三九年）あるいはカルディア王朝などともいわれる。

## アケメネス朝ペルシアの大統一

新バビロニアの繁栄は短く、東方のイラン高原に興った新勢力によって征服された。前五五〇年にメディアを倒したアケメネス朝ペルシア（前五五〇－三三〇年）のキュロス二世（前五五九－五三〇年）が前五三九年にバビロンに入城して、新バビロニア王国は滅亡した。以後メソポタミアはアケメネス朝に支配される。

前三三一年にはマケドニアからアレクサンドロス大王がやって来て、バビロンに入城する。大王がペルセポリスに入ったときには、アケメネス朝の最後の王ダリウス三世（前三三六－三三〇年）は殺害されていた。

古代オリエント文明が栄えた全域を支配したアケメネス朝ペルシアはここに滅亡し、メソポタミアはヘレニズム時代へと移り替わる。

# 第一章
# 文字はシュメルに始まる
## 楔形文字の誕生

ブッラ（上）とトークン

欧米の博物館では「なんだかわからないもの」をOGK things（Only God Knows things「神のみぞ知るもの」の意味）と一括して呼んでいるという話を聞いたことがある。

西アジア各地から出土したブッラとトークンも長い間「なんだかわからないもの」だったが、1970年代になって、これらのものが前3200年頃に書かれた最古の絵文字（ウルク古拙文字）に先行する段階を表すものであるとの説が出され、注目されるようになった。

本章ではトークンにはじまるシュメル人の文字文化の世界を、日本人になじみのある漢字文化と比較しながら見て行こう。

# 文字の誕生

## シュメル人が語る「文字のはじまり」

最古の文字はシュメルで生まれた。よく知られている楔形《くさびがた》文字ではなく、絵文字であって、生まれた場所はウルク市であった。ウルクは現代名をワルカといい、『旧約聖書』にもエレクという名で登場する。五〇〇〇年も以前の都市名の音が伝えられている珍しい例である。

シュメル人自身は文字のはじまりを叙事詩『エンメルカルとアラッタ市の領主』のなかで説明している。ウルク市の王エンメルカルが、ウルクより七つの山を越えた所にあるアラッタ市の領主から服従と忠誠を得ようと試みて、ついに成功する物語である。物語のなかでは、アラッタからウルクへラピスラズリや金銀などがもたらされ、見返りに穀物がアラッタへ運ばれたことが語られている。

アラッタはイラン高原にあったとされ、優れた金属細工師や職人がいることで知られていた。その所在地については諸説あり、いまだに特定されていない。

ラピスラズリは青金石あるいは瑠璃《るり》ともいわれ、濃い青色に黄鉄鉱の金色の斑《ふ》が微妙に入り、その美しさが人を魅了する貴石である。古代メソポタミアでは、ラピスラズリの石板は神の言葉が記される書板として尊ばれた。アフガニスタン北部のバダクシャン地方が原産地として有名で、前四〇〇〇年紀にはイラン高原を横断してメソポタミアにいたり、さらにエジプトまで達する、全長五〇〇〇キロメートルに及ぶ交易路があった。

メソポタミアではウバイド文化期（前五〇〇〇―三五〇〇年頃）の末期頃からラピスラズリ製品が出土するようになり、イラン高原にはラピスラズリを加工し、メソポタミアに輸出するためのアラッタのような交易都市が発達していた。『エンメルカルとアラッタ市の領主』はこうした状況を反映した物語と考えられ、このなかでは文字のはじまりは次のように書かれている（［　］内は原文中の脱落部分を補ったもの）。

彼（＝エンメルカル）の言葉は［かなりの量］であり、その内容はあまりに多い。使者の口は重く、それを復唱できない。使者の口は重く、それを復唱できないので、クラバ（＝ウルク）市の主人（＝エンメルカル）は粘土板を整え、言葉を粘土板の上に置いた（＝書いた）。それ以前に粘土板に置かれた言葉はなかった。

エンメルカルの長い口上を使者が暗記できなかったので、手紙が書かれるようになった。つまり文字は手紙を書く必要から生まれたとシュメル人は考えていたことになる。

## 記録の必要性から文字が生まれた

だが、実際は二つの意味でそうではなかった。一つには識字率が高くない社会では、手紙を持って行っても受取人が文字が読めるとは限らず、結局、手紙を持参する使者は内容を覚えて行って、手紙を渡すと同時にその内容を口頭で伝えていたと考えられるためである。もう一つには、文字は長文を書く必要からではなく、交易活動を記録として残す必要から生まれたのではないかという説であり、文字の発明の理由としては、この説が有力である。

文明生活を維持、向上させるためには交易が必要であった。メソポタミアを含めて古代オリエント世界では先史時代から交易が盛んにおこなわれ、黒曜石、大理石、アラバスター（雪花《せっか》石膏《せっこう》）、ラピスラズリ、孔雀石《くじゃくいし》、各種の貝、木材などが求められた。

交易活動は現在ならば商社マンが現地に赴いてお金を払って原材料などを入手して来るが、古くは物々交換であり、さらには略奪もありえた。長期間にわたって、恒常的に交易がおこなわれ、しかも拡大、複雑化すれば、人間は頭のなかだけで詳細なことを記憶することはとうていできない。「なにをどこからどれだけ持って来たか」「誰となにを交換したか」といった記憶を目に見える形にし、そこから記憶を復元しようとする工夫から生まれたのが文字であった。

## 謎の粘土製品トークンとブッラ

現在わかっている最古の文字は前三二〇〇年頃の絵文字であり、ウルク古拙《こせつ》文字といわれている。だが、いきなり絵文字が作られたのではなく、これに先行する段階が近年議論されるようになった。

いくつかの欧米の博物館に用途不明で研究者が首をひねっていた粘土製品があった。直径二

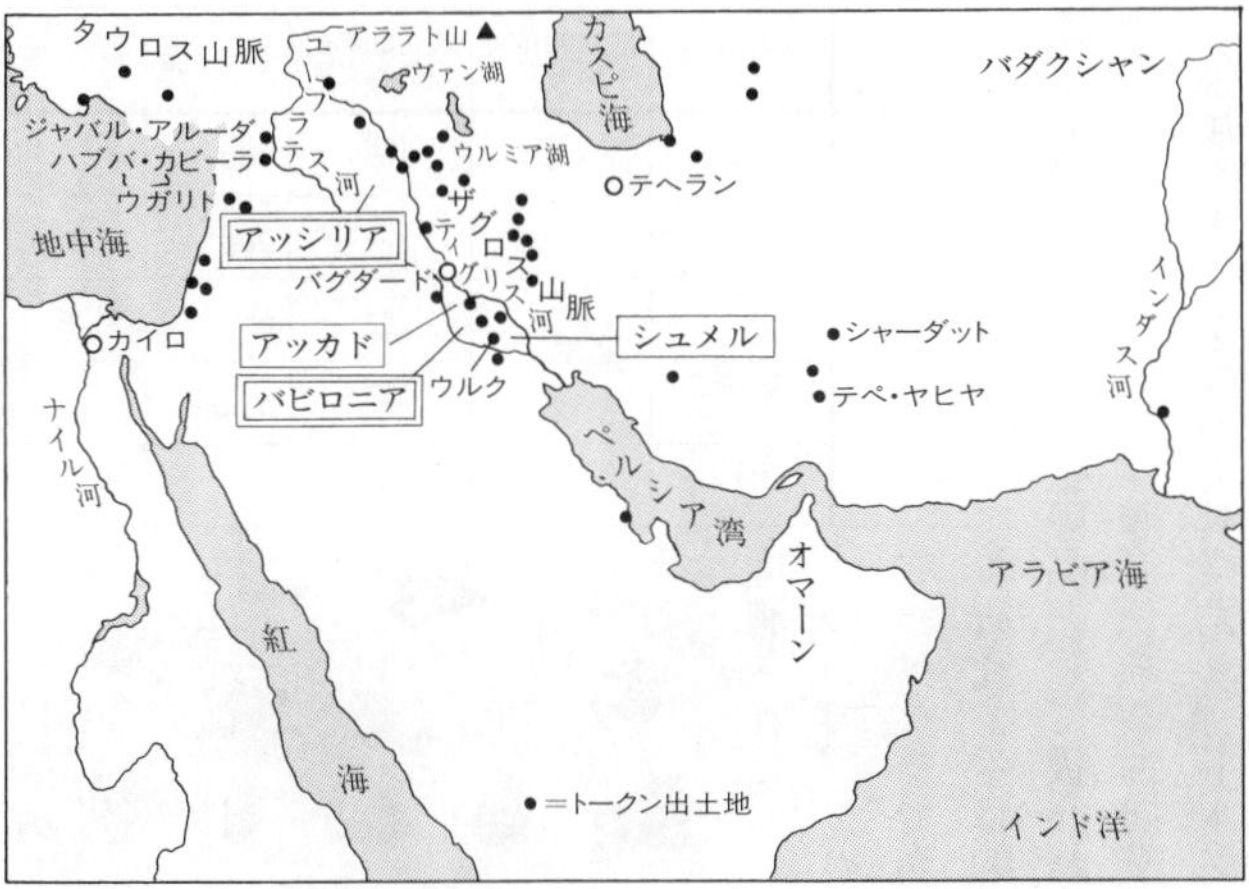


トークン出土地

センチメートル前後の大きさをした幾何学形の小型粘土製品とこれが入った直径一〇センチメートルぐらいの中空の粘土製球である。小型粘土製品は英語で「しるし」「代用貨幣」の意味をもつ「トークン」あるいは「クレイ・トークン」と、粘土球はラテン語で「球」を意味する「ブッラ」と呼ばれている。

　このトークンとブッラは、西アジア各地の広範囲で出土している。西方はシリアの遺跡のハブバ・カビーラ、ジャバル・アルーダ、東方はイランのテペ・ヤヒヤ、シャーダッドなどに及んでいた。今のところ、最古のトークンは前八〇〇〇年紀に属するとされるが、最初にどこで作られたかはわからない。前四四〇〇年頃にはトークンは多様化し、各遺跡で行政の中枢を担ったと思われる場所から出土した。トークンの発達は前三五〇〇年頃には頂点に達している。

| トークン | 古拙文字 | 前2400年頃の楔形文字 | 前1000年紀の楔形文字 | 音価 | 意味 |
| --- | --- | --- | --- | --- | --- |
| | | | | udu | 羊 |
| | | | | $ab_2$ | 牝牛 |
| | | | | ur | 犬 |
| | | | | ninda | パン |
| | | | | $i_3$ | 油 |

（上）トークンと古拙文字・楔形文字の比較
（下）複合トークン

## トークンから絵文字へ

トークンとブッラがなんであったかの謎解きは、イランの古都スサから出土したブッラによって始まった。前四〇〇〇年紀に属する、このブッラのなかにはトークンが入っていて、ブッラの表面にはトークンの押印跡があったことから、これらのものは物資管理のための簿記用具ではなかったかとまず推測された。

ついで、この考えを発展させたのがアメリカの研究者D・シュマント＝ベセラである。古代オリエントのテラコッタ（素焼き粘土）の像を研究する目的で各博物館を巡っていたときに、どこの博物館でも用途不明の不思議な粘土製品として扱われていたトークンとブッラを見せられた。彼女は後で話す「複合トークン」の形とウルク古拙文字が似ていることに気づき、トークンは物の数量および種類を表すための道具であり、トークンから文字が生まれたのではないかと考えた。

ではトークンから文字はどのように誕生したのだろうか。

まず、新石器時代の開始に伴い、増大する穀物や家畜を管理する必要から生まれたのが「単純トークン」であって、円錐、円盤、球、棒などの単純な幾何学形をしていた。それぞれのトークンが特定のものを表し、数量を記録していた。

次に、ウルク文化期の都市化の過程で、複雑多様な都市生産物を記録する必要から、羊、牝《め》牛《うし》、犬、パンそして油のような具象的な形を含む、多様な形をした「複合トークン」が発達した。

これを粘土板に押し付けたのが文字の祖形であるという。最初の段階ではトークンをブッラのなかに入れ、外側にスタンプ印章を押印して、取引、契約の証拠とした。

第二段階ではブッラが増加した結果として、どのブッラがどの契約の証拠か容易に特定できなくなった。そこで、インデックス代わりに、ブッラのなかに入れるトークンをブッラの外側に押すようになった。これはスタンプ印章の習慣から考えついたのであろう。

ウルク古拙文書

最後の段階ではトークンを押し付けてできる痕跡《こんせき》と同じ形を尖《せん》筆《ぴっ》で描いたが、後の楔形文字とはちがって曲線が目立つ絵文字であった。これが絵文字すなわちウルク古拙文字の誕生であるという。最初の段階、第二段階の実物はスサから発見されているが、最後の段階の実物は発見されていないので、第二段階から直接ウルク古拙文字へと発展した可能性もあるという。

シュマント＝ベセラの推論は論文を発表した時点で好評を博した。その後、いくつかの不備が指摘されてはいるが、彼女の説を全面的に覆すほどの反論は出されていない。

## 絵文字が生まれたウルク市

ウルク古拙文字と呼ばれている最古の絵文字は、ウルク市で短時間に誕生したと考えられている。

ウルクはシュメルの有力都市であり、交易のためにユーフラテス河をさかのぼり、植民都市まで建設していた。これがシリアのユーフラテス河岸に発見されたハブバ・カビーラ遺跡である。このような活発な交易活動は、トークンとブッラよりももっと簡便な記録方法を要求した。

複合トークンの八割はウルク市のエアンナ聖域地区から出土している。エアンナ聖域にはシュメルの豊饒《ほうじょう》を司るイナンナ女神が祀られていた。

発見された複合トークンの数だけでは文字体系とはなりえない。前三二〇〇年頃とされる文字の発明はウルク人の知恵の結晶であろう。

都市文明が開花したウルク文化期（前三五〇〇―三一〇〇年頃）後期からジェムデト・ナスル期（前三一〇〇―二九〇〇年頃）にかけて、巨大な建造物が築かれ、支配者階級が生まれたことを示す美術様式が生まれ、そしてウルクでは文字が発明された。エリドゥ、ウルク、ウル、ニップル、ラガシュ、ウンマなどの都市が成立し、これらの都市の中心部には神殿がそびえ立ち、時を追うごとに壮大、華麗になっていった。その背景にあるのは、交易によって経済力が発展したことである。

一九二八－三三年にドイツ調査隊がエアンナ聖域地区を発掘し、前三二〇〇年頃のウルク第四層および前三一〇〇－二九〇〇年頃の第三層から約八〇〇枚の粘土板文書を発見した。これが現在世界最古の文書で、ウルクからはその後も古拙文書（古拙文字が書かれた粘土板など）が出土し、断片を含めて約三〇〇〇枚になる。ウルクで絵文字が使用されはじめた段階で、ほかの都市ではまだトークンが使用されていた。ほかの都市に文字はなかなか広まらず、キシュ市から絵文字の書かれた古拙文書が一枚発見されているだけである。

ウルク古拙文書には約一〇〇〇の文字が使用されているが、完全に解読されてはいない。文書の内容は大部分が家畜、穀類、土地などについての会計簿である。表語文字（表意文字ともいう）で、まだ表音文字への工夫は見られず、意味がわかっても音価がわからない文字がある。また、表記された言語がシュメル語ではないという研究者もいる。

なお、中国ではウルク古拙文字に遅れること、約一八〇〇年後の殷《いん》後期（前一三〇〇－一一〇〇年頃）に、文字史料が現れる。亀甲《きっこう》や動物の骨に刻まれた甲骨文字と、青銅器に刻まれた金文《きんぶん》であった。これらの文字については先行段階があったともいわれている。

### 絵文字から楔形文字へ

さて、前三二〇〇年頃にウルク市で発明された文字が整備され、完全な文字体系に整えられるのは前二五〇〇年頃である。ウルク古拙文字は表語文字であったが、この頃になると表音文字も登場する。文字の数も約六〇〇に整理され、シュメル語が完全に表記されるようになった。また、同じ頃に一本でさまざまな形を作り出せる葦《あし》のペン（尖筆）が工夫されたことから、起筆（書きはじめ）が三角形の楔形になる文字が書かれるようになり、こうして楔形文字が誕生する。

楔形文字は古拙文書に見られる祖形から九〇度横向きになる。横向きになった理由はわからない。その時期は古拙文書が終わるとまもなくであったと従来いわれてきたが、最近では前三〇〇〇年紀後半に起こったと考えられている。

しかし、『ハンムラビ「法典」』碑に見られるように、前二〇〇〇年紀になっても石碑では祖形と同じ方向で、つまり立った形で文字が刻まれていた。

**【「吉川作」葦のペン】**

シュメル人は両河にはえている葦を削ってペンを作った。墨は使わずに、一本のペンを巧みに使って粘土板に文字を書いていた。筆者も実物のペンを使ったことがある。実物といってもシュメル人が作ったものではなく、シュメル語の大家、吉川守先生（広島大学名誉教授）がイラクで採取された葦から作られたペンで、「吉川作」と墨で銘が入っている。

先生からいただいたときは「宝の持ち腐れ」になるのではないかと思っていたが、授業で楔形文字の話をするときには「百聞は一見にしかず」で、実際にこのペンで文字を書いてみると受講者が感心して見てくれる。吉川先生がイラクで採取された葦は日本の河川にはえているような細い葦ではなく、直径2.5㎝もある太いもので、この太さがあれば葦小屋を建てることさえできる。一本のペンの天地を別々の形に削ってあるので、楔形と円を粘土板上に作ることができ、側面では線を引ける。実によく工夫されているが、曲線を作りにくいことも確かである。楔形文字に曲線が少ないのはこのためであろうか。

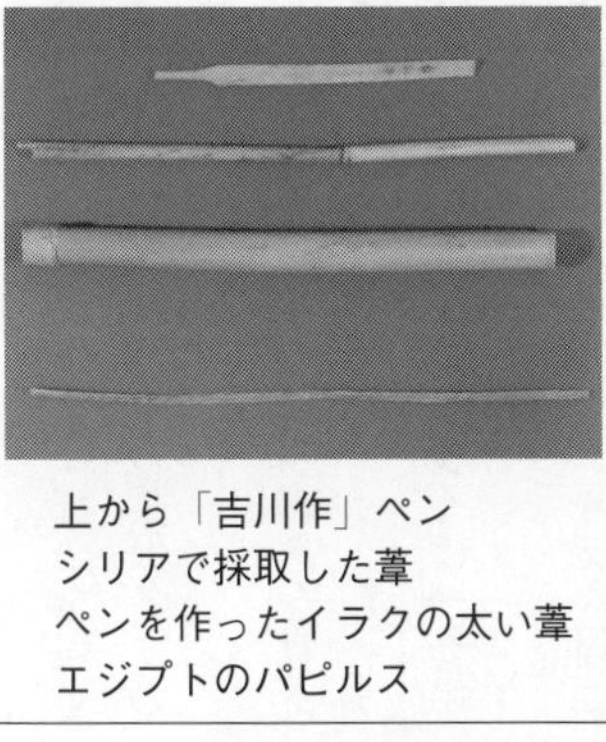

上から「吉川作」ペン
シリアで採取した葦
ペンを作ったイラクの太い葦
エジプトのパピルス

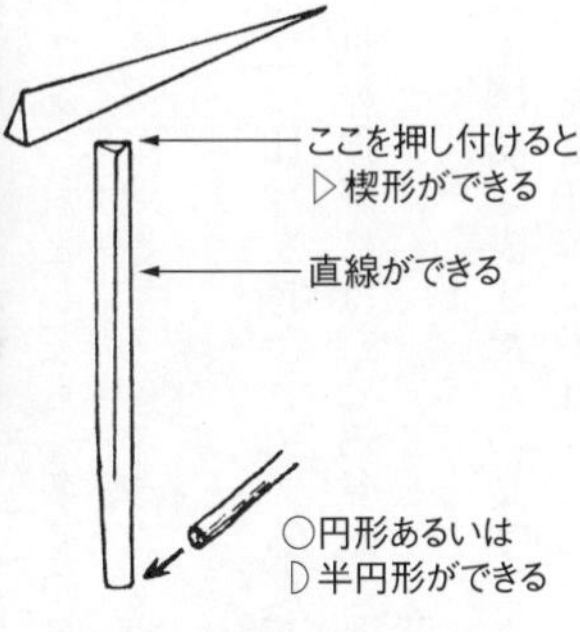


葦のペンの使い方

## 楔形文字と漢字

シュメルで発明された楔形文字は、後に古代オリエント世界の各地でさまざまな言語を表すために使われるようになったが、シュメル語を表記する楔形文字は、我が国の「万葉仮名」のように文章のなかで表語文字と表音文字の両方に使い分ける。

シュメル語を表すための文字数は約六〇〇である。小学校から多数の漢字の読み書きを覚えさせられる日本人にとっては楔形文字を覚えることはさほど難しいことではない。

一方、今日世界で使用されている文字の多くは簡便な表音文字、そのなかでも多くは一つの文字が一つの音を表す単音文字（アルファベット）である。

さて、情報・意思の伝達のさいには必ずしも音を伴う必要はない。たとえば、イスラム圏に旅行して、トイレの入り口にアラビア文字で「女性用」と書いてあったとしても、多くの日本人観光客にはわからないが、スカーフ姿の絵があれば、女性用トイレと察する。アラビア語でトイレをなんというかとりあえず知る必要はない。

表語文字は表音文字に比較して数も多く、難解な文字であるとの印象を持たれているが、必ずしもそうではない。視覚を重視するメディアが発達した二〇世紀以降にはむしろ見直されてもいる。

現在でも使われている表語文字の代表は漢字である。漢字は中国語を表すための文字であるが、我が国では日本語を表すために借用した。漢字の数は多い。現在日本で使用されている常用漢字は一九四五字、JIS第一、第二水準漢字合計六三五三字だが、清《しん》代最盛時の康熙《こうき》帝《てい》治世、一七一六年に完成した『康熙字典』は四万七〇〇〇余字、そして本場中国を凌《しの》ぐ我が国の漢字研究における金字塔、諸橋轍次《もろはしてつじ》編『大漢和辞典』は約五万字である。このように漢字は楔形文字の約八〇倍強の文字数がある。

一説には漢字の数はもっと多いともいうが、中国人はなぜ五万もの漢字を作り、逆にシュメル人はなぜ楔形文字六〇〇字で文章を表現できたか、このちがいについては後で説明しよう。いずれにしても、時代や地域は異なっても、連綿として表語文字が使われ続けているのである。

### 『説文解字』

中国では漢字の研究はすでに後漢時代に始まっていた。紀元後一〇〇年頃に許慎《きょしん》が小篆《しょうてん》文字九三五三字を五四〇に分類して各字の意義、音、字形構造を説明した。これが『説文解字《せつもんかいじ》』であり、中国最初の字書である。中国文字学はここから出発した。「易と説文には淫《いん》するな」といわれていて、古来漢字に魅せられた人が多くいたようだ。ただし、これは甲骨文字が発見されるはるか以前に書かれた書物であるから、今日では訂正すべきことが多々あるようだ。

母語では三〇に満たない単音文字しか使わないヨーロッパの研究者にとっては、表語文字である楔形文字の研究は未知の分野であったが、東アジアには『説文解字』に始まる長い漢字研究の伝統があり、こうした伝統を踏まえた研究が我が国のシュメル学の先駆者、中原与茂九郎先生によってなされた。中原先生が『説文解字』の「六書《りくしょ》」を応用して楔形文字を分析されたことはシュメル学に対する日本人学者の最初の大きな貢献であった。以下では、この中原先生の説にしたがって、楔形文字を分類してみよう。

## 「六書」で分類する楔形文字

「六書」は漢字の構成および用法に関する六種類の基本原則である。象形、会意、指事、形声は漢字の構成であるが、仮借《かしゃ》と転注は漢字の用法を表している。

「象形」は目で見える形を具体的、絵画的に描くことである。世界各地の古代文字は類似しているが、それでもそれぞれに特徴がある。エジプトの聖刻文字（ヒエログリフ）は対象の全体を表現するのに対して、ウルク古拙文字の段階の楔形文字では対象の特徴的部分を簡略に表現している。

たとえば「牡牛《おうし》」といえば、古代エジプト人はその姿全体を書いたが、シュメル人は頭上にある一対の角が目につくことから、その角のある頭部のみを簡略に表した（六六ページ表参照）。エジプト人、シュメル人各々の民族性もあろうが、どのような書写材料になにを使って文字を書いたかが、文字の形が決まるさいには決め手の一つになっていただろう。古代エジプト人はパピルスに墨を付けた筆で聖刻文字を書いた。曲線が書けることから具象的な絵文字が書けた。だが、ウルク古拙文字のように粘土に尖筆で書くとなると、直線で簡略的な文字にならざるをえなかった。

「会意」は文字を構成する複数の要素すべてが意味を表す。たとえば、lugal「王」は、gal「大きい」と$lu_2$「人」の組み合わせである。浮彫などの図像では王とおぼしき人物はほかの人

| | 古拙文字 | 楔形文字 | | 音価、意味など |
|---|---|---|---|---|
| | | 前2400年頃 | 前1000年紀 | |
| | | | | gišimmar　なつめやし |
| 象 | | | | še　穀物の総称、大麦 |
| | | | | a　水 |
| | | | | udu　羊 |
| | | | | $gu_4$　牡牛 |
| 形 | | | | $ab_2$　牝牛 |
| | | | | dug　壺 |
| 会 | | | | lugal　大きいと人を組み合わせ、王 |
| 意 | | | | $lal_3$　壺のなかに良い(もの)、蜂蜜 |
| 指 | | | | 交差でちがいを示し、$kur_2$　敵、外国人 |
| 事 | | | | maš　半分、2分の1 |
| 形 | | | | men　冠を示す枠に、なかはme, enの音符号 |
| 声 | | | | gig　小麦　は穀粒、音符号　gig |
| 仮 | | | | sum　玉葱、大蒜から「与える」に使用 |
| 借 | | | | dub　粘土板から「振り撒く」に使用 |
| 転 | | | | utu　太陽から$u_4$日、他 |
| 注 | | | | 星から天 an、神 dingir |

六書で分類した古拙文字・楔形文字

物よりも大きく表現された。lugal はウルク古拙文書では確認されていないが、前二八〇〇－二六〇〇年頃に属するウル古拙文書には現れていて、シュメル王権を考える上で重要である。

なお、楔形文字は漢字と同様に同音異字がある。区別するために使用頻度に応じて下付きの数字が付けられるが、1は付けない。kur は山、冥界など、kur$_2$ は外国人、敵などを表す。

古代世界では、ことに石も木も満足にないメソポタミア南部では泥を捏《こ》ねて作る壺《つぼ》は大切であったのだろう。壺に関する文字が多い。dug「壺」のなかに du$_{10}$「良い（もの）」を入れた文字は lal$_3$「蜂蜜《はちみつ》」を表す。この文字を見ていると壺から嬉《うれ》しそうに蜂蜜を取り出してなめているシュメル人の姿が想像される。

「指事」は抽象的概念を記号的に示す。交差する線でちがいを表し、kur$_2$「外国人」などを、また縦線を半分に切って、maš「半分」を表した。

「形声」は文字を構成する要素の一つが発音を示し、漢字の七割は「形声」に属するといわれる。「冠」を意味する文字 men は枠が冠を表し、枠のなかに音符号 me, en がある。gig「小麦」も穀粒《こくりゅう》を表す部分と音符号 gig が組み合わされている。

「仮借」は宛字《あてじ》である。sum「玉葱《たまねぎ》」「大蒜《おおびる》」（ニンニクの古名）は同音の動詞 sum「与える」に、dub「粘土板」は動詞 dub「振り撒《ま》く」に宛てられた。ビールは壺にビールが入った象形文字 kaš によって本来は表されるが、同音の kaš$_2$ が宛字としてしばしば使われている。

「転注」はある意味を持つ文字をほかの意味に転用して字音を変える用法である。utu は「太陽」が本来の意味であったが、$u_4$「日」、babbar「白い」「輝く」、zalag「清い」の意味を表すようになり、音が派生した。日本人は「太陽」といえば「赤い」が、シュメル人は「白い」と見ていたようだ。太陽神ウトゥ神の神殿はエバッバル $e_2$-babbar「白い（あるいは輝く）家」と呼ばれていた。

「仮借」で表語文字の表音化が始まり、「転注」で文字の多音化と多義化が生まれた。楔形文字の数が漢字に比較して少ない理由の一つは「仮借」と「転注」が多用されたからだという。

| | | | |
|---|---|---|---|
| グヌー |  $ku_6$ |  peš | 複数の線を加える $ku_6$「魚」にグヌーを加え peš「魚卵」 |
| ギリムー |  gi |  gil | 2文字を交差させる gi「葦」を交差させて gil「巻く」など |

グヌーとギリムー

なお、「六書」では分類できない、楔形文字独自の文字の作り方もいくつかあり、二つ紹介しよう。「グヌー」は強調したい箇所に複数の線を加える。$ku_6$「魚」にグヌーを加えると peš「魚卵」ほかを表す。「ギリムー」は二つの文字を交差させる。gi「葦」を交差させて、gil「巻く」などを表す。

## 表語文字から表音文字そして単音文字へ

楔形文字はシュメル語を書くための表語文字であったが、やがて表音文字として使われ、他民族に借用されて複数の言語を表す文字として長い寿命を保つことになる。

我々日本人の祖先たちは中国から漢字を借用して、万葉仮名とし

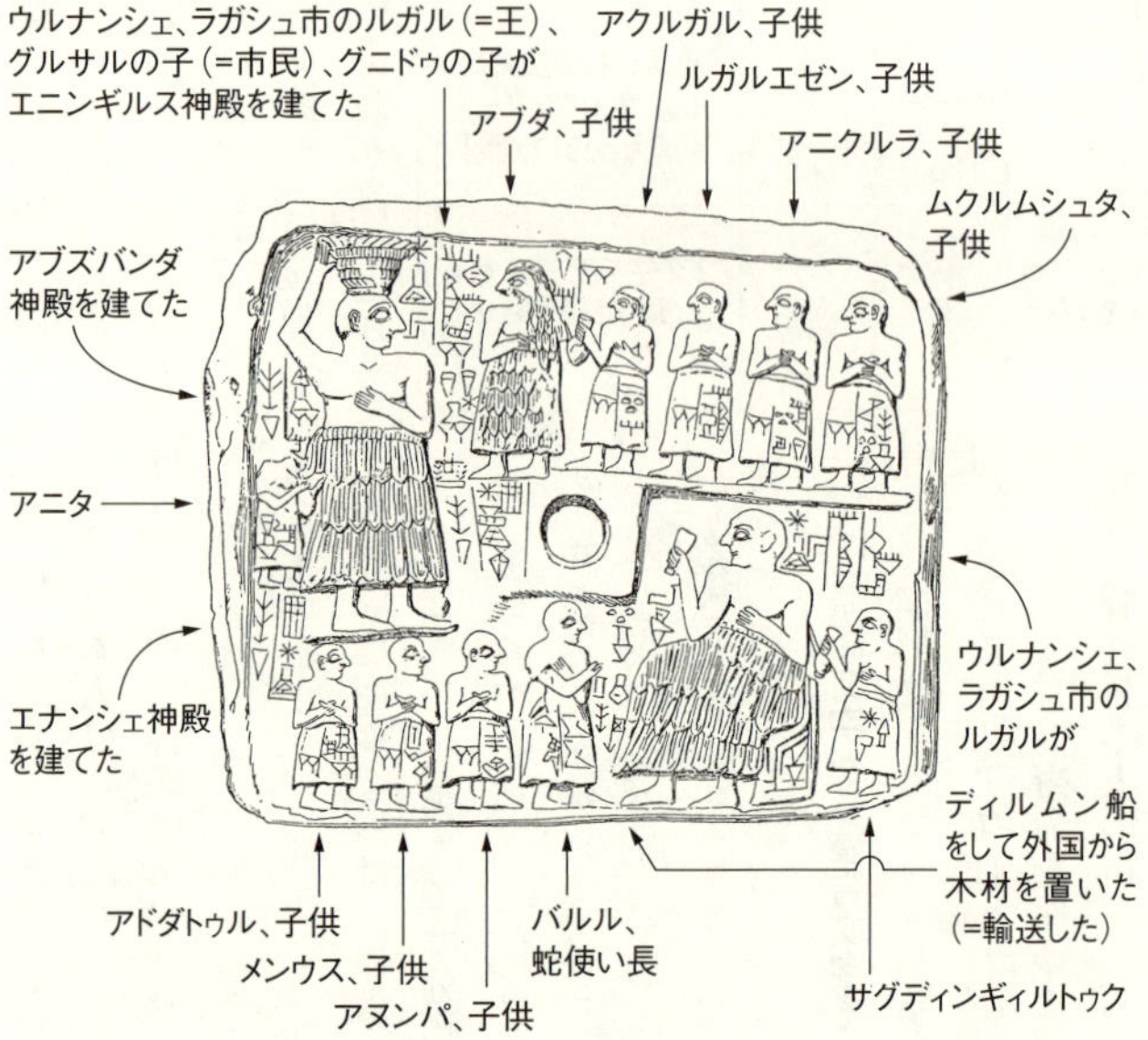


**楔形文字解読例（ウルナンシェ王の「家族の肖像」）** 神殿に奉献した石製の額で、真ん中の孔に神殿の壁面から突き出た棒状の突起をさし込んで掲げた

て使っていた。やがて漢字を崩して平仮名、漢字の一部を取って片仮名を作り出し、これらの音節文字を使って日本語を自由自在に表記できるように工夫をしたが、楔形文字を借用した人々は画数を減らして簡略化しても、楔形文字を崩すようなことはしなかった。

アッカド語、ウガリト語、ウラルトゥ語、エブラ語、エラム語、古代ペルシア語、ヒッタイト語、フリ語などはすべてシュメル語の文字を借用した言語であって、古代オリエント世界で広く使われた。

なかでもアッカド語は、国際

交流が盛んにおこなわれた前一四世紀前半の「アマルナ時代」にはオリエント世界の共通語として使われ、またシリアのウガリト（遺跡名ラス・シャムラ）で使われていたウガリト語にいたっては、楔形文字を単音文字（アルファベット）として使い、三〇字の簡略化された楔形文字になっていた。

一方、よく知られているアルファベットは、エジプトの聖刻文字を元に作られた原シナイ文字や原カナン文字から、前一一世紀にフェニキア文字へと発展し、やがてこのフェニキア文字がギリシア世界へと伝播《でんぱ》してできたものである。つまり、交易活動が盛んにおこなわれていた地中海に面した古代のシリア・パレスティナ地方で二つの系統のアルファベットが、商人たちが使える簡単な文字として使われていたことになる。フェニキア文字が結果として現代まで残ったが、「もし前一二〇〇年頃に『海の民』の侵攻がなく、ウガリトが滅んでいなかったならば」、ウガリトで使われていた楔形文字のアルファベットと、フェニキア文字のどちらが残っただろうか、興味深いところである。

アッカド語を書く書記(右) とアラム語を書く書記(左) 新アッシリア帝国時代 (前8世紀)

前一〇〇〇年紀の新アッシリア帝国では、アラム語がアッカド語とともに使われ、やがてアラム語がアッカド語に取って代わる。両者ともにセム語系であったが、音節文字を使う複雑な

（上）ウガリト遺跡
（下）レウム（メトロポリタン美術館蔵）

アッカド語楔形文字よりも、フェニキア文字から発達した二二字の単音文字で表記されるアラム語の方が便利であった。それでもアッカド語は忘れられずにいたようで、紀元後一世紀にアッカド語で記された楔形文字の粘土板も発見されている。

## 書写材料としての粘土板

楔形文字はなぜ粘土板の上に書かれたのであろうか。

書写材料といえば、現代ではなんといっても紙である。古代オリエント世界に紙はなかったが、泥ならばどこにでもある。粘土板はどこにでもある泥土が材料であって、西アジアから地中海世界まで広範囲に使用された。沖積平野のメソポタミアにも泥はいくらでもあり、最古の書写材料となった。粘土板は保存性に優れているが、くずれやすく、持ち運びに不便である。そこで手紙のように持ち運ぶ粘土板は焼いた。ウガリトからは窯に入れて焼こうとされる寸前の粘土板が発見されているが、これは前一二〇〇年頃に「海の民」の侵入でウガリトが滅亡する、まさにそのときの粘土板であった。

また、楔形文字の書写材料は粘土板以外にもあって、石や青銅にも刻まれたが、なかでもアッカド語でレウムと呼ばれる木製書板がある。ときには象牙《ぞうげ》が使われることもあるが、レウムには板の上に蠟《ろう》を塗って楔形文字を書いた。シュメルではレウムは「予備の書板」すなわち永久保存用ではない書板を意味していた。

## 膨大な数量の史料

レウムは火をかけられれば焼失してしまう。パピルスや羊皮紙も同じである。戦争に火災はつきもので、古代世界ではなおのこと、戦争があれば、都市は敵に火をかけられるのが普通である。焼けないで運良く土に埋もれても、レウムなどは腐ってしまう。よほど良い条件に恵まれないと残らないであろう。

書写材料としての紙の優位は動かないものの、二〇世紀末から多くの記録はCDやフロッピー・ディスクに収められるようになった。これらには紙よりもはるかに多くの情報を記録できるが、火災に遭ったらパソコンやフロッピー・ディスクの記録は残らない。だが粘土板は残る。これが西アジアの各遺跡から粘土板が多数出土する理由であって、発掘には「粘土板読み」といわれる文献史料を専門に読む研究者が参加することになる。

保存性に優れる粘土板は欧米の博物館を中心に四〇万枚あるいは五〇万枚ともいわれる膨大

な枚数が収蔵されているが、そのほとんどが解読されていない。楔形文字といっても、前で紹介したように、書かれている言語はシュメル語やアッカド語とは限らず、そのために各種言語を読める「粘土板読み」の育成が追いついていない。

しかもメソポタミアでは古バビロニア時代のハンムラビ王（前一七九二－一七五〇年頃）が治めていたバビロン市も、アッカド王朝のサルゴン王（前二三三四－二二七九年頃）のアッカド市の場所もまだ明らかではない。こうした都市が発見されれば、当然さらに大量の粘土板文書などが出土するであろう。すると、前四〇〇〇年紀末期のシュメル人の都市国家から始まり、前三三〇年のアケメネス朝ペルシアの滅亡で終わる古代オリエント史の全貌《ぜんぼう》を、一等史料である粘土板文書を厳密に読んで再現するとなると、どのくらいの時間がかかるのだろうか、気の遠くなるような話である。

# 第二章
# 「ウルク出土の大杯」が表す豊饒の風景

努力の賜物

ウルク出土の大杯

古代のウルク市から出土したことから、「ウルク出土の大杯」あるいは「ウルクの大杯」と呼ばれているアラバスター（雪花石膏）製の容器がある。これは、シュメル美術の代表的傑作である。

沖積平野にあるシュメルでは石材を産出しないから、アラバスターは輸入された。アラバスターは淡い黄色をした温かみのある、やわらかな石材である。シュメルの彫刻師は大きな杯を作り、外周に浮彫の図像を彫って、イナンナ女神の神殿に納めた。

日本のお神酒徳利と同様に一対であったといわれている。もしもう片方が残っていたとしたら、そこにはどのような浮彫の図像が刻まれていたのだろうか。残っている大杯と同じ図像だったのか、それともちがっていたのか、残念ながらわからない。

本章では、この大杯の図像の「絵解き」をしながら、図像に込められたシュメル人の想いを紹介する。

アラバスター製、ウルク市出土、ウルク文化期（前3500－3100年頃）後期、高さ約105㎝、イラク博物館蔵

農業の風景

## 略奪された至宝

二〇〇三年にフセイン政権が崩壊して「イラク戦争」は一応の終結をみたといわれたが、実際は内戦状態が長引き、治安が回復せず、略奪行為が横行した。なかでも、首都バグダード中心部にあるイラク博物館では略奪が繰り返され、古代メソポタミア文明の貴重な遺物の数多くが姿を消した。テル・アスマルから発掘された祈願者像（一四五ページ図参照）、「ウル王墓」から出土した黄金製牡牛頭部の付いた竪琴《たてごと》（一一九ページ中図参照）、黒人を殺す牝ライオンを表した象牙細工など、どれも貴重で甲乙つけがたい。だが、略奪されたもののなかで最も貴重な一点はなにかと問われたならば、「ウルク出土の大杯」（以下「大杯」と略す）と筆者は答える。「大杯」はアラバスター製の円筒形をした容器で、幸いなことに破損してはいたが後に回収された。

一九三三―三四年におこなわれた発掘シーズン中にドイツ隊がウルク市のエアンナ聖域地区で、ジェムデト・ナスル期（前三一〇〇―二九〇〇年頃）の宝物庫から「大杯」を発掘した。脚部が欠損し、一五の断片に割れていたが、かつては大切に使用されていたらしく、補修の痕跡があったことから、前の時代であるウルク文化期（前三五〇〇―三一〇〇年頃）後期に作られたようだ。ウルク古拙文字が生まれようとしている、あるいは生まれたばかりといった時期である。

ウルク出土の大杯　外周浮彫展開図

「大杯」は古くてしかも大きい。これだけでも貴重である。だが、「大杯」の周囲に彫られた浮彫の図像こそが大切なのである。円筒形胴部の外周を三段に分けて、帯状に彫られた図像は、文字で書かれた史料がほとんどない時期に、目で見る形で宗教儀礼を記録した貴重な考古史料である。

現存する「大杯」は一個だけだが、「大杯」上段に、同じ形の大杯が対になっている図像があることから、本来は一対になっていて、お神酒《みき》を入れたようである。

### お神酒は麦酒（ビール）

日本では穀物といえば米であり、アルコール飲料といえば米から作る日本酒、お神酒もまた当然のことながら日本酒である。ところが、最近では、日本でもアルコール飲料といえば日本酒やワインと並んで、麦酒（ビール）が好まれている。

ビールが日本に伝えられたのは幕末といわれ、明治初年には醸造が始まった。それから百数十年経って、今では日本酒以上にビールが飲まれている。暑い夏だけでなく、暖房が完備したために冬でもビールが飲まれるようになった。アルコール度数が低いこともあって、男性のみならず、女性もビールを好むようである。「乾杯」にもビールを使うことが多い。

ところで、ビールはどこで最初に作られたかご存知だろうか。答えはシュメルである。ビールはシュメルで生まれ、シュメルでは本来お神酒はビールだった。「灌奠《かんてん》」つまり、お神酒などを注ぐことをシュメル語ではカシュ・デ・アといい、これは字義通りには「ビール（カシュ）を注ぐこと」である。

### 文明人の飲み物

現在のイラクでは国民の大多数がイスラム教徒であるから、アルコール飲料は禁忌である。だが、イスラム教徒の多い国でも、エジプトやトルコのようにアルコール飲料に関してかなり寛大な国もある。

古代メソポタミアの人々はビール、ぶどう酒、蜂蜜酒、なつめやし酒などのアルコール飲料を楽しみ、ことにビールを嗜《たしな》むことは文明人の証《あかし》であった。

『ギルガメシュ叙事詩』（古バビロニア版P）では、ウルク市の王ギルガメシュの友人となるエンキドゥははじめ「パンをどのように食べるかを知らず、ビールの飲み方を教えられていなかった」とその野人ぶりが表現されて、エンキドゥはパンを食べ、ビールを飲むことを覚えてようやく人間らしくなったと書かれている。

### 女神が醸造したビール

シュメルでは豊かに実る大麦やエンメル麦からビールが盛んに作られ、その製造法はここからエジプトにも伝播したようだ。

ビールはビールパン（麦芽パン、醸造用パン）に水を加えると自然発酵することから偶然発見されたらしい。発見したのは女性であろう。日本の古代社会で酒をかもすのに女性が重要な役割を果たしていたことは民俗学の研究などでよく知られているが、シュメルでも女性が最初にビールを作っていたようである。

甕からストローでビールを飲む　円筒印章印影図

ビールと醸造を司る神はニンカシ女神という。ニンカシとは「口を一杯にする女主人」の意味である。『ニンカシ女神讃歌』にはビールパンを使い、発酵しやすくするためになつめやしや蜂蜜を加え、「肝臓を幸福にし、心を喜びで満たす」ビールを醸造する過程が書かれている。

ビールの種類は「黒ビール」「褐色ビール」「強精ビール」などと多数あり、神々に捧《ささ》げられ、人々に分配支給されることもあった。

円筒印章などの図柄にはストローを使ってビールを大きな甕《かめ》から飲んでいる図がある。当時のビールは濁り酒であったので、表面に麦の殻が浮いてしまうため、ストローを使ったようだ。また、ビールは杯では飲まず、杯で飲むのはなつめやし酒であるともいう。

シュメル人は含蓄に富んだ諺《ことわざ》を数多く残しているが、そのなかに現代人も納得するビールについての諺がある。二つ紹介しよう。

ビールを飲みすぎる者は水ばかり飲むことになる。

楽しくなること、それはビールである。いやなこと、それは（軍事）遠征である。

## 豊饒の風景

それでは「大杯」の図像を見てみよう。

「大杯」の周囲に刻まれた浮彫は三段にわたっている。下段はさらに二分され、底辺は水の流れに大麦となつめやし（亜麻という説もある）が実る豊饒の風景である。水の流れ、大麦の穂、なつめやしの絵はウルク古拙文字の「水」「大麦」「なつめやし」とほぼ同一である。肥沃なシュメルの地では穀物がよく実った。シュメル人が活躍していた時代から約一五〇〇年も後の、前五世紀にバビロニアを訪れたヘロドトスは穀類（大麦や小麦）の生産量が多いことに驚いている。

バビロン地方は穀類の産出では、われわれの知る限りの地域の内で飛び抜けて最高である。（中略）穀類の生産には好適の土地であることは、その収穫量が平均して（播種《はしゅ》量の）二百倍、最大の豊作時には三百倍に達することでも判る。

（松平千秋訳『歴史』巻一、一九三）

実際にはヘロドトスが伝えるほどの収穫量はなかったが、大麦の収量倍率はたしかに驚異的であった。初期王朝時代末期（前二四世紀中頃）で七六・一倍、ウル第三王朝時代（前二一一二－二〇〇四年頃）に三〇倍と前川和也先生（京都大学名誉教授）が算出した。つまり、初期王朝時代末期には一粒まくと七六・一粒、ウル第三王朝時代でも一粒まくと三〇粒収穫できたのである。

ギルス地区（現代名テルロー）で発掘された焼成煉瓦製の運河調節部

約二〇〇〇年の間に、七六・一倍から三〇倍へと大麦の収量倍率が下がった理由は、土壌の塩化であった。序章で話したようにシュメルでは暴れ河のティグリス河よりも穏やかな流れのユーフラテス河流域で灌漑《かんがい》農耕をおこなった。季節の氾《はん》濫《らん》によって溢《あふ》れたユーフラテス河の水を運河を通じて溜池《ためいけ》に貯え、乾季に溜池から畑に灌漑する溢流《いつりゅう》灌漑がおこなわれていた。ユーフラテス河は砂漠の大地を浸食しながら土砂をシュメルに運んで来たので、石灰分（炭酸カルシウム）を多く

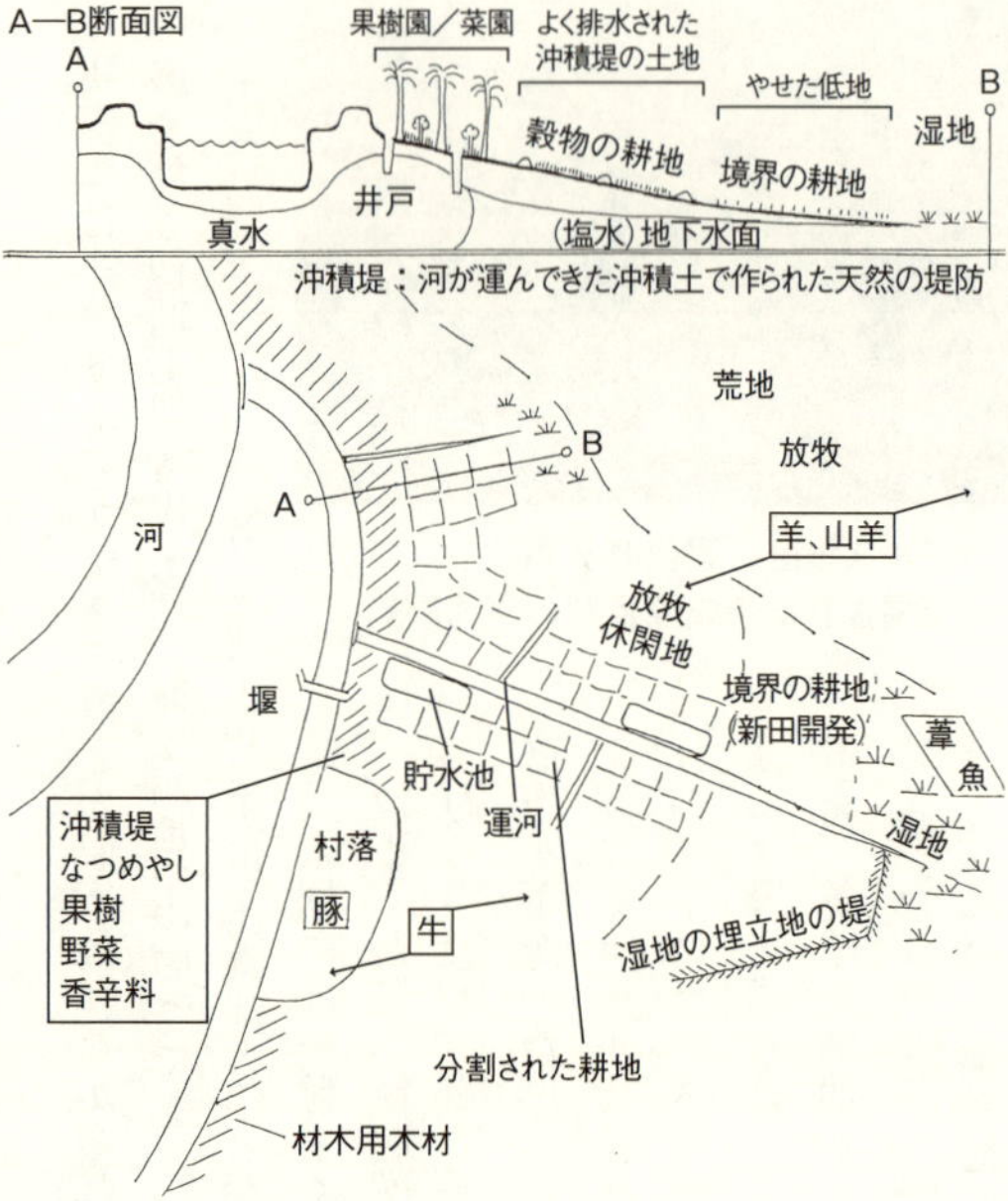

シュメルの農村の模式図

含んでいる。畑に水を入れた後で、排水を充分にしないでおくと、高温のため水分が蒸発して炭酸カルシウムと水が反応してできる水酸化カルシウムが大地を白く覆うことになってしまった。これが土壌の塩化である。

シュメル地方では塩分に弱い小麦は初期王朝時代から実らず、ウル第三王朝時代になるとエンメル麦さえも実らなくなった。

近代以前の多くの社会においては穀物の生産量は国力そのものといっても過言ではなく、土壌の塩化による穀物生産量の減少はやがてシュメル人社会をその内部から衰退させて行くことになる。

だが、土壌の塩化は古代社会だけの問題ではない。現代においても起きている。たとえば、旧ソ連邦崩壊（一九九一年）後にカザフスタンのコルホーズ（集団農場）では、乾燥した気候のために地表から水分が蒸発し、塩分が地表にたまり農地が放棄されている。

大地が無限に豊かではないことを人間は知るべきであろう。多くの収穫を得ようとして無理な農業経営をすると、大地は疲弊する。二一世紀の発達した農業技術をもってしても塩化した土壌を改良することは容易ではないという。

## 『農夫の教え』

大麦の高い収量倍率は、ティグリス・ユーフラテス両河下流の肥沃な土壌にただ依存しただけでは得られない。シュメル人が収量を増やすために知恵をしぼって努力をした結果でもある。

シュメルの農業技術を伝えている『農夫の教え』は当時の学校（第七章参照）で使われていた教科書である。同じものがウル市から出土しているが、ニップル市から出土した文書の一部を紹介しよう。


「年老いた農夫」がその息子に教えた。お前が畑に灌漑する準備をしなければならないときには、運河の土手や畑のでこぼこを取り除くために調べなければならない。

お前が畑に水を入れたとき、その水をあまり高くならないようにせよ。水が引いて畑が出て来たときには、畑の水の澱《よど》んだ地点を調べ、そこに囲いをせよ。ブーツを履いた牛に畑を踏ませよ。雑草を処理した後で畑の輪郭を決め、そこを何度も三分の二マナの重さの薄い鍬《くわ》で均《なら》せ。平たい鍬で牛の蹄跡《ひづめ》を消し、（畑を）きれいにせよ。（中略）

上段右端に条播器付きの犂が見える　円筒印章印影図

一ニンダンの幅に八本の播種条を立てよ。（中略）指二本分の長さに種を落とすべし。一ニンダンの長さについて種を一ギンまけ。
（中略）
大麦が狭い畦溝《あぜみぞ》の底に入りきれないときには「最初の種の水」で水をやれ。大麦が葦のマット（のよう）になったときには水をやれ。頭を付けた大麦に水をやれ。大麦が充分に育ったら水をやるな。（もし水をやると）さび病に感染するだろう。大麦に籾殻《もみがら》が付いて申し分ないときには水をやれ。一バンにつき、一シラの増収をもたらすだろう。

（一マナ＝約五〇〇グラム、一ニンダン＝約六メートル、指一本すなわち一シュシ＝約一・六センチメートル、一ギン＝約六〇分の一リットル、一バン＝約一〇リットル、一シラ＝約一リットル）

この文書は前一八−一七世紀頃に書かれた写本だが、中核となる話の源は前三〇〇〇年紀末、ウル第三王朝時代の耕地管理文書であったと考えられている。農業技術書といえば、古代ギリシアで、前七〇〇年頃に自らも小土地所有農民だったヘシオドスが書いた『労働と日々』が知られている。この本には農業についての教訓も書かれているが、『農夫の教え』はこれに先立つこと一〇〇〇年以上古く、内容も優れている。

ここには、四月から五月にかけての両河の増水時から翌年春までの一年間の農作業が灌漑と排水、犂耕《りこう》と播種、収穫と脱穀などと簡潔に書かれている。当時、すでに考え抜かれた、合理的な農作業がおこなわれていた。農作業の最初は耕地一面を灌水《かんすい》し、水が引いた後に「ブーツを履いた牛」に耕地を踏ませることを勧めていて、これはアジアの稲作農業でおこなわれている「踏耕《とうこう》」と同じであったようだ。

種をまくにしても適当にばらまくのではなく、条播器《じょうはき》（種まき用の器具）を使って無駄なくまいていた。三人で一組になって条播器付きの犂《すき》を操作し、畑を耕しながら種をまいた。一平方ニンダン（三六平方メートル）あたり八本のうねを作り、うねの長さ一ニンダンにつき一ギンの大麦の種をまく。指二本の幅ごとに一粒を落とすと、一ニンダンあたり一ギンの種子がまかれることになる。種まきから収穫の間に灌漑することを勧めているが、四回目の灌漑をおこなうと収穫が一割増した。

なお、ここに引用した『農夫の教え』は一部であり、「年老いた農夫」とは、割愛した箇所に「エンリル神の子、ニヌルタ神の教え」「エンリル神の誠実な農夫、ニヌルタ神」と書かれていることから、農業の守護神であったニヌルタ神を指している。

## 「聖樹」なつめやし

シュメル人が勤勉に働いても、大麦などの穀物が常に豊作とは限らない。不作の年もあった。

穀物が実らなければ人々は飢えることになる。だが、シュメルにはなつめやしがあった。「大杯」にも大麦とともになつめやしが描かれている。なつめやしは「農民の木」ともいわれて大切にされていた。

なつめやしは耐塩性が強く、穀物が不作でも栄養価の高いなつめやしが実れば飢えを凌げる。大切な木であるから、前一八世紀の『ハンムラビ「法典」』にもなつめやしの果樹園に関する条文がいくつか見られる。果樹園は河や運河沿いにあった。なつめやしからは酒や蜜が作られ、乾燥なつめやしは旅の携行食糧となった。

メソポタミアの美術ではなつめやしがさまざまなデザインで表現され続けた。豊饒を司るイナンナ女神の手にはなつめやしの房が握られ、新アッシリア帝国時代（前一〇〇〇頃－六〇九年）に王宮の壁面を飾った精霊像は、しばしば抽象化された「聖樹」なつめやしの木の左右に

（上）なつめやしの房を持つ豊饒の女神イナンナ（ニンフルサグ説もある。ベルリン国立博物館蔵）
（下）「聖樹」なつめやしに受粉する精霊（メトロポリタン美術館蔵）

**【なつめやしの使い途】**

日本でも干したなつめやしを食べることができる。干し柿に似た味で、イラン、サウジアラビアそしてアメリカ産の干したなつめやしがスーパーマーケットなどで売られている。

日本は、イラクからは石油と抱き合わせでなつめやしを輸入していた。1991年（平成３年）１月に「湾岸戦争」が勃発した当時、イラク産のなつめやしが話題になった。イラク産のなつめやしはパンやクッキーの隠し味、お好み焼きや焼きそば用の濃厚ソースの原料に利用されていた。ソースびんの裏側の原料表示を読むとデーツ（なつめやし）と書かれている。そのデーツを戦争が勃発したために輸入できなくなったので、ソース業者が困ったという。

12年後の2003年（平成15年）、「イラク戦争」が勃発したときに、ある放送局が「湾岸戦争」当時のことを覚えていて、今回はどうしているのかを取材して放送した。ソース業者は前回にこりて、半年分のなつめやしをしっかり備蓄していたそうである。

配されている。

### 羊の図像

「大杯」下段、大麦となつめやしの上には羊の図像が彫られている。

西アジア世界は、シュメル人が活躍していた時代から今にいたるまで穀物といえば麦、家畜といえば羊の世界である。遊牧民だけでなく、有畜農耕社会であったから農民の身辺にも羊がいた。

シュメルの彫刻師は事物を正確に描写していて、その図像は貴重な史料となりうる。「大杯」には二種類の羊が彫られている。一説によれば牡牝を表現しているという。別の説では羊の種類を表現しているとする。一種類は尾

| | 古拙文字 | 楔形文字 | 聖刻文字 |
| --- | --- | --- | --- |
| 羊・牡羊 |  |  |  |
| 牛・牡牛 |  |  |  |

**牡羊・牡牛の文字**　聖刻文字と楔形文字（前2400年頃）の比較

が長くて胸に房毛があって、角が螺旋《らせん》状に水平に伸びた毛羊であり、もう一種類は角のない羊である。

この毛羊は古代エジプトでは彫像に見られ、また聖刻文字にもなっている。エジプトではパピルスに墨を付けた筆で文字を書くから、曲線が可能であった。だがシュメル人はこの「大杯」上に見られるような羊の姿をそのまま文字にすることはしなかった。

シュメル人は羊を頭部や角では表現せずに、古拙文字の「羊」は肛門の形で表した。「牝牛」を表す古拙文字（四五ページ表参照）も一見して頭部の形とも見えるが、実際は陰部の形ともいわれている。こうした文字を生み出したシュメル人が特に変わった趣味だったということではない。周囲の荒野には遊牧民がいて有畜農耕社会であったシュメルには、家畜の群れを管理するための去勢や「先頭の山羊《やぎ》」などの技術があった。シュメル人にとって、麦が豊作になることと同じように、羊が多産であることも大切なことであった。発情を知るためには家畜の生殖器に注目せざるをえず、こうした必要が文字を生み出すさいにも反映したのではないだろうか。

なお、「先頭の山羊」とは、羊の群れを制御するさいに混ぜる山羊のことである。羊はおとなしいので、性格の激しい山羊を混ぜてやると、山羊が先頭に立ち、羊はその後について行く。

牧人は山羊を制御すれば、羊の群れ全体を制御できることになる。第四章で話す「ウルのスタンダード」の「饗宴《きょうえん》の場面」中段に見える一頭の山羊と二頭の羊は「先頭の山羊」とそれにしたがう羊の群れを象徴しているようだ。

シュメルに見られるこの技術は現在でも継承されている。日本国内では羊や山羊の放牧を見ることはほとんどないが、トルコ、シリア、イランといった西アジアの国々を旅行すると、しばしば羊の群れを目にする機会があり、その羊の群れのなかにひげのある山羊を発見することができる。

（上）先頭の山羊（「ウルのスタンダード」「饗宴の場面」中段）
（下）現代の羊の放牧　黒い山羊が混ざっている。ユーフラテス河畔、トルコ

## 牡牛の角と牝牛の乳

「大杯」には牛の全体像を表す図像はない。

牛は羊のように、食肉の対象では元来なかった。日本でも一九四五年（昭和二十年）に終わった太平洋戦争後もしばらくの間は農村で牛が使われていた。高度成長期を迎え、農村に農機

酪農の図　ウバイド遺跡出土の石製装飾壁

具が導入されるとともに、牛の労働力を日本人は必要としなくなった。牛は現代では乳、肉および皮などを提供する動物になりはてた。

シュメル社会では力強い牡牛は犂を牽《ひ》かせる大切な動物であった。シュメルのみならず古代オリエント世界では先史時代以来、この牡牛の力に畏敬《いけい》の念を抱き、牛の角や頭部は力の象徴として崇《あが》められた。これが男神の根源的な姿であるが、やがて、男神は人間の男性の姿で表されるようになっていった。シュメルでは図像で神であることを表すさいには、角の付いた冠をかぶっている姿が決まりとなった。この角は牛の角を模している。

祭礼の犠牲獣は羊あるいは山羊が普通であるが、大神への犠牲に牡牛が含まれていることもある。「大杯」上段にころがっている牡牛の首はこうした犠牲であろう。

牡牛はまずその力が農耕に利用されたが、一方牝牛は乳が利用された。

ウバイド遺跡のニンフルサグ女神の神殿からは石製装飾壁（フリーズ）が出土している。この図像では、左側では四人の男が乳製品を作っており、真ん中には牛舎があって、仔牛《こうし》の頭が見える。

右側は搾乳の場面であり、母牛の前に仔牛が連れて来られている。これは今日の搾乳とはかなりちがっている。現在の代表的な乳牛、ホルスタイン種のような乳牛は人間が改良して作り出した牛である。当たり前のことながら本来、母牛は人間のために乳を出すのではなく、自分の仔のために乳を出すのであり、この浮彫は母牛が仔牛の匂《にお》いをかぐことで乳を出すことを表している。また、現在は牛の横から搾乳するが、ここでは牛の後ろに搾乳する人がいて、シュメルにおける酪農の様子を伝えている。

### 豚もいた

「大杯」の家畜の図は羊だけであるが、シュメルには豚もいて、食用としていた。

イスラム教ではアルコール飲料が禁忌であることは紹介したが、豚を食べることも禁忌である。ユダヤ教でも豚は汚れた動物で、犠牲に供えることも食べることも許されなかった(『旧約聖書』「レビ記」第一一章七節、「申命記」第一四章八節)。イスラム教やユダヤ教ではなぜ豚を食べることを禁忌としたのであろうか。豚肉はおいしいので遊牧民が豚肉の味を覚えると争いの種となる、豚肉の寄生虫は怖い、豚は穀物を食べさせる必要があるので不経済であるなどのいくつかの理由が挙げられているが、本当のところはわからない。

初期王朝時代第ⅢB期末期ラガシュ市の行政経済文書には「葦の豚」「草の豚」と書かれていることから、葦や草のはえている所で飼っていたのだろうが、豚に穀物も食べさせていた。月ごとに支出される大麦などの穀物を記録した会計簿のなかに、豚の飼料として支出された項目もある。

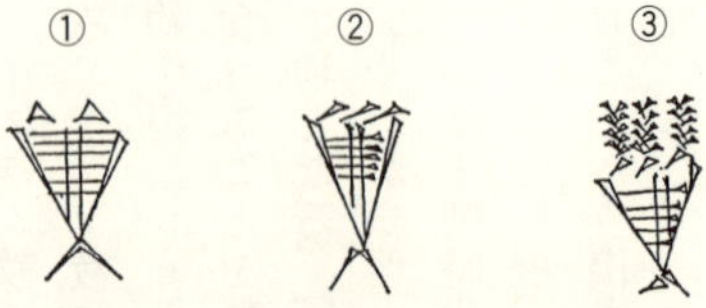

各種魚を表す表語文字（前2400年頃の楔形文字）①スマシュ魚、②スフル魚、③ウビ魚

シュメル人は豚肉を食べたが、一般に羊肉の方が上等と考えられ、好まれたらしい。豚肉は女奴隷の食べ物と考えていたようで、次のような諺が残っている。

脂身はおいしい。
羊の脂身はおいしい。
女奴隷にはなにを与えようかしら。
彼女（＝女奴隷）には豚のハム（あるいは臀《しり》の肉）を食べさせておけ。

そうはいっても、食べ物の好みは一概にはいえず、犬の餌《えさ》にもされている豚肉を后妃が食用とした記録もある。

また、豚の飼育は女性の仕事であったようで、こうした例は羊や牛には見られない。豚は肉だけでなく、皮や脂も利用し、ことに豚の脂は皮膚に塗られていた。日本のような湿度の高い土地では身体に油を塗ることはあまりしないが、シュメルでは直射日光から肌を守るために戸外で働くさいに豚の脂を塗っていたようだ。

### 魚好き

肉だけでなく、シュメル人は日本人と同様に魚が好きだった。両河やペルシア湾からさまざまな種類の魚がとれたので、魚の名前も多数あるが、シュメル語で書かれた魚の種類を特定することは難しい。

魚にまつわる面白い諺を一つ紹介しよう。

私の夫は私のために（穀物を）積み上げてくれる。
私の子は私のために（生活用品を）くれる。
私の愛人には魚の骨をとらせよう。

亭主と息子が稼いでくれるのに、人生を謳歌《おうか》する女房には魚の骨を抜いてくれる愛人がいた。魚を一緒に食べることは深い仲の二人ならではだった。

ウルク出土の大杯最上段と類似した場面　円筒印章印影図

## 神殿と儀礼

### 象徴の「葦束」

「大杯」の中段は供物を入れた二種類の容器と注口付き壺を捧げ持つ、剃髪《ていはつ》した裸の神官の行列である。シュメル人の祭儀の場面には、剃髪した裸の神官がしばしば登場するが、剃髪、裸体の意味はよくわからない。

図像の注口付き壺は「壺」を表す古拙文字（四五ページ表参照）と同一である。

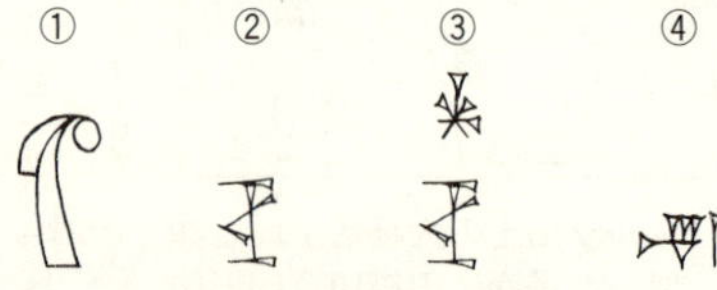


イナンナ女神の象徴「葦束」の古拙文字から楔形文字への変遷
①古拙文字
②前2400年頃の楔形文字
③神を示す限定詞を付けるとイナンナ女神を表す
④②の前1000年紀の楔形文字

上段の破損した箇所にはルガル「大きい人」つまり「王」が刻まれていたようだ。衣服の裾《すそ》の部分である格子状の文様と素足が残存していて、ほかの円筒印章に刻まれている王と同じ姿をしていたと考えられる。王の背後では従者が房飾りを持ち上げ、前方では頭部が欠損した裸の神官が供物を捧げている。

輪と吹き流しが付いた「葦束」はイナンナ女神の象徴であって、二本の「葦束」の背後は女神の神殿、つまりエアンナの神殿を表している。ウルク文化期の円筒印章の図柄でもこの図は見られる。その後、この象徴はウルク古拙文字に採用され、やがて楔形文字に変化した。イナンナ女神の元来の名前はニン・アン・ナ「天の女主人」ともいわれるが、この文字は一字で「イナンナ」を表す表語文字である。さらに、この文字に神であることを示す限定詞を付けると「イナンナ女神」を表すことになった。

イナンナ女神の象徴は「葦束」のほかに、ロゼット文や金星もあった。ロゼット文はなつめやしの花を表しているが、前述したようになつめやしはメソポタミアで大切な植物で、地上の花を代表する。一方、天上の花は「宵の明星」「明けの明星」としてひときわ明るく輝く金星で、女神の星としてふさわしい。なつめやしの花や金星がイナンナ女神の象徴である理由はわかるが、なぜこの「葦束」が女神の象徴になったかの理由はわからない。

### イナンナ女神

「大杯」の発見されたウルク市はペルシア湾に近く、ユーフラテス河沿いの要衝の地である。今から約五〇〇〇年前はメソポタミアのみならず、オリエント世界の中心都市として繁栄していた。活発な交易活動の担い手は神殿で、ウルク市には重要な神殿が二カ所あり、天空神アンは白神殿のある通称「アヌのジグラト」地域に、イナンナ女神はエアンナ聖域に祀られていた。「エアンナ」とは「アン神の家」の意味である。

ウルク市のエアンナ聖域

古くはウルク市の都市神、つまり都市の最高神はアンであったが、アンはデウス・オティオースス（「暇な神」）となり、代わってアンの娘、妻あるいは「聖娼《せいしょう》」といわれるイナンナが都市神となったと考えられている。ただし、その時期や理由はわからない。イナンナはのちにアッカド語でイシュタルと呼ばれ、豊饒と性愛、戦争の女神としてメソポタミアで広く、長く信仰された最大の女神である。

ヘロドトスは「女は誰でも一生に一度はアプロディテの社内に坐《すわ》って、見知らぬ男と交わらねばならぬことになっている」（『歴史』巻一、一九九）と「バビロン人の最も破廉恥な風習」を紹介している。ヘロドトスがいうアプロディテ女神とはギリシアの豊饒と性愛の女神のことで、ここではアプロディテ女神と同一の神格をもつメソポタミアのイシュタル女神を指している。神殿娼婦《しょうふ》たちが守護神であるイシュタル女神の神殿に出入りしていたことが誤解されたようで、実際にはヘロドトスが伝えているような習慣はなかった。

### 最古の神殿内部

「大杯」の葦束の後方は神殿内部の様子である。二重の線で、二頭の羊が表されている。羊の背に置かれた台上に二人の人物が刻まれている。葦束を背後にした後方の人物は合掌している。前方の人物はなにかを手に持っているが、一説によれば古い時代の文字、エン（「主人」の意味）を持っているともいう。また、後代には神は動物の上に乗って表現されることから、二人の人物は神あるいは神像を表すとも考えられている。

一対の大杯の背後に、ガゼルとライオンの形をした容器がある。その下には一対のパンを盛った高坏《たかつき》、一対の供物籠《くもつかご》が置かれ、犠牲として奉献された牡牛の首もある。詳細な部分では意味がわからないものもあるが、全体としては神殿内の供物を表しているようだ。

### 女神か女神官か

さて、葦束の前方に立つ女性像は、イナンナ女神か、女神官か、解釈が分かれている。人か神か特定できない理由の一つはかぶり物の箇所が一部破損しているからである。メソポタミアの美術では前述したように神は角のある冠をかぶって表現されるので、角のある冠をかぶっていれば女神と特定できるが、その箇所が破損している。また、女神官もかぶり物をかぶったようである。アッカド王朝初代サルゴン王（前二三三四―二二七九年頃）の娘エンヘドゥアンナ王女（第七章参照）はウル市の月神に仕える女神官であったが、王女の姿を刻んだ円盤が残っていて、特殊なかぶり物が見られる。

かぶり物では決められないが、この女性が示している、鼻の前に手を置く仕草はシュメル語で、キリ・シュ・ガル「鼻に手を置く」つまり「祈る」の意味であることから、女神よりも女神官がふさわしいと思う。

**寝台模型** 「聖婚儀礼」とかかわりがあるもの。前3000年紀末期から前2000年紀初期、素焼き粘土

### 元日の行事「聖婚儀礼」

「大杯」の図像をゆっくり眺めてきたが、それでは図像全体でなにを表しているのだろうか。

下段は豊かな水に恵まれ、農作物が豊かに実り、家畜も多産である豊饒の風景を表す。中段は収穫物を神殿に奉献する場面である。

下段と中段に表された場面を踏まえると、上段は都市国家の王が豊饒を祈願あるいは感謝する場面であることは間違いないが、さらに踏み込んで王と女神官による「聖婚儀礼」が表されているとも解釈され、「大杯」の図像はその最古の例になると考えられる。

「聖婚儀礼」は男女の交合により、混沌《こんとん》から秩序を回復し、不毛を豊饒に変えることなどを意味する。シュメルだけの特異な儀礼ではなく、世界中で広く見られる。シュメルでは女神官と王が「聖婚儀礼」をおこない、豊饒がもたらされると考えられていた。

「聖婚儀礼」は元日におこなわれた。元日の持つ意味は現代日本では薄れてしまい、単に一年の最初の休日となってしまっているが、シュメルのみならず古代社会では元日は宇宙のはじまりに重ね合わされる日、つまり新しい生の循環が始まる日であった。

**暦**

シュメルの元日は春分の日であったと考えられている。

古代メソポタミアでは太陰暦が使われていた。一年は三五四日で、三〇日からなる大の月と二九日の小の月を交互に置いていた。暦と実際の季節との間のずれを調節するために閏年《うるうどし》が置かれた。閏年は一年が一三ヵ月であった。

月名はシュメルの各都市でちがっていた。シュメルの最盛期であったウル第三王朝（前二一一二−二〇〇四年頃）は暦を統一しようとしたができず、各都市がそれぞれちがった月名を使っていた。たとえば暦の一〇番目の月はそれぞれの都市で次のように呼んでいた。

ウル市　　アン神の祭の月
ウンマ市　　シュルギ神の祭の月
ニップル市　　アブエ（祭の）月

初期王朝時代のラガシュ市では地区によって月名がちがっていたが、「羊に大麦・水を運ぶ月」「牛を登録する月」のような農作業や、「ナンシェ女神の麦芽を食べる祭の月」「ニンギルス神の大麦を食べる祭の月」のような農業にかかわる祭が月名に入っている。また、特別なできごとがあったときには月名にして記録を残している。ウルイニムギナ治世四年に「輝く星が高い（所）から落ちて来た月」があり、これは隕石落下《いんせき》についての最古の記録といえる。

なお、一週間が七日からなる起源もシュメルにさかのぼるともいわれている。一カ月は新月から始まり、新月、上弦の月、満月、下弦の月と七日目ごとに祭がおこなわれていた。これが週の起源になるともいう。

## シュメルの恋歌

「聖婚儀礼」はシュメルの地に豊饒をもたらすための重要な宗教儀式であった。円筒印章の図柄でも主題として数多く扱われ、やがて粘土板にシュメル語で書かれた。グデア王の複数の像

**女性のさまざまな髪型**　女性は髪を束ねたり、結い上げたり、さまざまな髪型を楽しんでいたようだ。レタスのような髪型とは大きく結い上げた髪型だろうか。前3000年紀から前2000年紀前半

は、元日にバウ女神の神殿でおこなわれた「聖婚儀礼」をその碑文に刻み、神殿に奉献された多数の供物が列挙されている。

さらに、ウル第三王朝時代からイシン第一王朝時代（前二〇一七－一七九四年頃）にかけて、高位の女神官が豊饒の女神イナンナに、王が植物神で女神の恋人とされるドゥムジに扮《ふん》して、交合を含むさまざまな儀式がおこなわれ、おおらかに性の歓喜を歌う「聖婚歌」が作られた。日本の古代にも、男女が集まり、歌いかけ、自由に交わった歌垣《うたがき》という祭があり、田植え神事などとかかわりがあったとされる。恋に歌はつきもののようで、「聖婚歌」はシュメルの恋歌である。

ウル第三王朝第四代シュ・シン王（前二〇三七－二〇二九年頃）と寝所をともにする女神官は次のように歌いかけている。

私の髪は水で育てられたレタス、
私の髪は水で育てられたガックル・レタス、

巻き上げた髪は（?）櫛《くし》でなでつけられ（?）、
私の乳母が高く積み上げた（?）。
（中略）
兄君（＝シュ・シン）は私に生命を与える眼差《まなざ》しを注いだ、
シュ・シンは私を、［……美しい……］を選んだ。

晴れの儀式に女神官は髪を「レタスのように結い上げた」と歌っている。レタスという比喩《ひゆ》が面白い。どのような髪型だったのだろうか。

七行破損の後は、歌い手は女神官たちに代わっている。
あなたは私たちの主人、あなたは私たちの主人、
銀とラピスラズリなる、あなたは私たちの主人、
穀物を丈高く育てる私たちの農夫である、あなたは私たちの主人、
私の目の蜂蜜であり、私の心のレタスである彼のために、
生命の日が私のシュ・シンのために来ますように。

最後の二行はまた女神官が歌いあげている。

## あるべきものは「豊饒」

「大杯」の図像が、シュメル人によっておこなわれた祭儀の様子を伝える貴重な最古の史料で

あることは間違いない。

シュメル人は両河の泥が作った豊かな土壌にのみ依存せず、農作業に知恵を働かせ、努力によって収穫を増やしたが、自らの力に驕《おご》らず、神々を恐れ敬って豊饒を祈り、かつ感謝した。シュメル語で豊饒は「ヘガル」というが、元来の意味は「あるべし」で、まさに「あるべきものは豊饒」であるという、願いが込められた語である。

古代メソポタミア文明の遺物はその多くがイラクから持ち出されて、欧米の博物館に収蔵されている。故国であるイラクに残ったものは多いとはいえない。いつの日かイラクに本当に平和が戻ったときには、祖先たちが豊饒への祈りを込めた、五〇〇〇年以上の長い時間を生き抜いてきた「大杯」をイラク博物館の中央に据えてほしいと思う。

# 第三章
# 元祖「はんこ社会」
## 目で見るシュメル社会

ルガルアンダ王の円筒印章が押された封泥

円筒印章の印影図は虫眼鏡を使わないとわからないような細密画（ミニアチュール）の世界である。その小さな世界からシュメルについてのさまざまな情報を取りだすことができる。円筒印章そのものが残っていなくとも、封泥が残っていれば印影図を復元できる。

写真はその封泥に残された印影で、印章の持ち主は銘から初期王朝時代第ⅢB期末期ラガシュ市のルガルアンダ王であることがわかる。図柄は初期王朝時代に好まれた「闘争図」である。

今でも「はんこ社会」で生活し、根付のような小さな、世界に誇る美術品を生み出し、愛好する日本人は、円筒印章の小さな印面にさまざまな図柄を表現したシュメル人の心情に共感できるのではないかと思う。

粘土、テルロー（ラガシュ市、ギルス地区）出土、前24世紀頃、高さ6.3㎝、長さ７㎝、ルーヴル美術館蔵

## はんこの発明

### 小さな遺物史料

大学の史学科に進学すると、一、二年生で「史学概論」などの必須《ひっす》科目をとらされ、歴史学とはいかなる学問か、どのように研究すべきかをまず教えられる。「歴史学は実証的学問であって、文字で書かれた史料（文献史料）に基づいて研究されるべきである。そのさいに同時代に書かれた史料つまり一等史料に最も価値を置くべきである……」といった講義を受ける。大切なことであるが、多くの学生にとってはたいくつな話である。

歴史学は文献史料を重んじる学問だが、必ずしも文献が残っているとは限らない。同時代の史料がなかったらどうするか。後代の史料を注意しながら使うこともあるし、図像などの考古史料（遺物史料ともいう）を使うこともある。

古代メソポタミアでも、新アッシリア帝国（前一〇〇〇頃−六〇九年）の浮彫壁画には王たちの功業が刻まれていることから、歴史の復元に充分役にたつ。ニネヴェ市（現在のモスール市東岸）やドゥル・シャル・キン（現代名コルサバード）から出土した宮殿の大きな壁画には戦争や狩猟の場面などが刻まれていて、現在は大英博物館やルーヴル美術館などに展示されている。

さて、シュメルであるが、目で見る形の史料といえば、碑はわずかしか残っていないが、円筒印章が多数残っている。円筒印章とは、我が国の印鑑ぐらいの大きさをした、円筒形の石材などの周囲に陰刻で図柄を彫り、柔らかい粘土の上にころがして図柄を残す印章である。

円筒印章の図柄は小さいながらも、粘土板に書かれた記録からだけではわからないシュメル社会の日常の暮らし、たとえば農作業、壺作り、機織《はた》りなどの一面を伝える貴重な情報源になっている。

## 「はんこ社会」

はんこは中国から我が国へ伝わった。本家中国では役人や文人など一部の人は使い続けたものの一般には普及しなかったといわれているが、我が国では広く社会一般に根づいて、今にいたるまで「はんこ社会」といわれている。

日本では一家に複数のはんこがあり、安い値段の三文判から、印材や書体に凝った、「首と取りかえっこ」とまでいわれる重要な実印まで用途に応じて使い分けている。役所での諸手続き、物品購入時の契約書そして宅配便の受け取りなど、日常生活の実にさまざまな場面ではんこが必要である。家庭以上に、会社や役所のような組織ともなれば、書類に課長、部長、局長などのはんこをずらっと並べることが日常の業務でもある。

「はんこ社会」という言葉が使われるときには、欧米はサインが主流であるのに、いまだにはんこを使っている遅れた社会といった意味も込められているようだ。サインが増えてきていて、はんこを使う機会は確実に減ってきているが、なかなか消滅しそうにない。

だが、視点を変えて考えてみると、もし我が国ではんこを使わなくなると、古代オリエント世界で生み出された、最古の所有、管理を記録する手段である印章が地上から消え去ることになる。そうであるならば、印章という文化を継承する意味で「はんこ社会」はもう少し続いた方が良いようにも思う。

## 最古のはんこ、スタンプ印章

我が国のはんこはスタンプ式の印章である。もっぱら姓を、実印ともなれば姓あるいは姓名を漢字で彫るが、古代オリエント世界ではまず図柄が彫られた。

人類最古のはんこであるスタンプ印章は粘土に押すための印章で、石を加工して作られ、つまみや薄い石の真ん中に紐を通す孔《あな》がある。印面に彫られた最初の図柄は井桁《いげた》や格子のような幾何学文様であった。スタンプ印章は前七〇〇〇年紀後半にあたる北シリアの遺跡から出土するものが最古とされていて、所有権を表すものであったようだ。次の前六〇〇〇年紀の北シリアやメソポタミアの遺跡からは多くのスタンプ印章が出土している。

その後、動物や人物文が増え、さらにウルク文化期（前三五〇〇—三一〇〇年頃）からジェムデト・ナスル期（前三一〇〇—二九〇〇年頃）にかけて、牛やライオンなどの動物の姿をかたどって加工された石の裏面に図柄を彫った印章が出現しているが、ウルク文化期後期にはすでに円筒印章が現れていて、スタンプ印章に取って代わっていることから、これらの動物の姿をかたどったスタンプ印章は護符として使用されていたようだ。

スタンプ印章は円筒印章の登場でメソポタミアでは劣勢となるが、その後もヒッタイトなどでは使われている。

### 封泥

スタンプ印章は封泥《ふうでい》に押印されていた。

古代オリエント世界では交易が活発におこなわれていた。今も昔も公正な取引の前提は物品の数量にごまかしがないことである。逆にいえば、なんの規制もなければ、ごまかす人がいるものである。袋詰めの米や砂糖、びん詰めのジュース、缶詰の魚などの中身の数量が表示とちがっていたら、現在ならば消費者の反発を招き、商品は売れなくなる。そこで、たとえばびん詰めにはキャップにシールがついて、簡単には開かないような工夫が施されている。

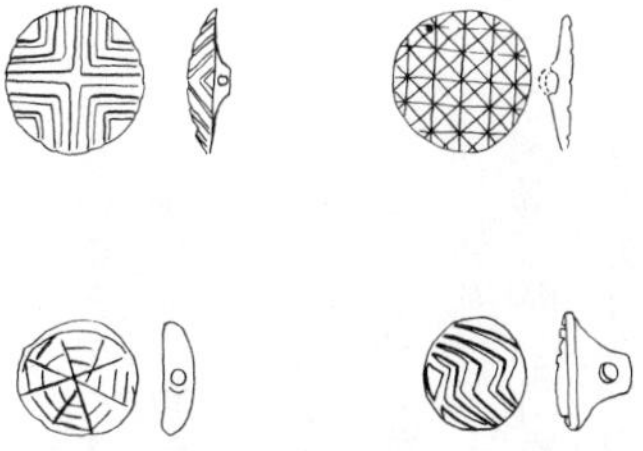

スタンプ印章とその断面図（右）

古代世界にはびんやキャップなどはなく、物品は壺や布製の袋などに入れられた。穀物などを入れた壺に革や布をかぶせて、紐をぐるぐる巻き、さらに紐に粘土を塗ってスタンプ印章を押して、封印した。袋や壺をあけるとき、この封印がこわされていなければ中身が減っていないことを示すことができる。この粘土で作った封印を封泥という。こうした封泥の使い方は中国でも、戦国時代（前四〇三―二二一年）から唐（六一八―九〇七年）にかけて見られた。

ヨーロッパでは泥ではなく、蠟を用いて手紙に封をし、印章を押すことがおこなわれ（封《ふう》蠟《ろう》）、最近までフランス製のある香水はガラスびんのふたを蠟で封じていた。

また、倉庫の管理となれば、現代では防犯のために錠だけでなく、アラーム装置などを付けるが、古代オリエント世界には精密な錠はなく、アラーム装置などはもちろんなかった。そこで倉庫の扉を閉める場合には扉に付けた紐を、建物に打ちつけた釘状のものに結びつける。その上に粘土を塗り、さらに粘土の上にスタンプ印章を押して、封じた。こうして倉庫を管理する役割が果たされていた。

## 円筒印章の出現

### シュメル人のはんこ、円筒印章

ウルク文化期後期に円筒印章が現れ、トークンを入れたブッラを封印するのに使われた。その後、円筒印章は数量だけを刻んだ粘土板にころがされるようになった。これらの粘土板は「数量記録粘土板文書（トークン押印文書）」と呼ばれた商取引の記録であった。印影を見れば、誰の記録かわかったようだ。さらにずっと時代が下って、前二〇〇〇年頃になると、数量だけでなく品名などのさまざまな楔形文字を書いた粘土板上に円筒印章をころがすことが習慣になった。

円筒印章の出現は、シュメル人がメソポタミアの最南部にやって来たことを示す根拠の一つとされている。またメソポタミアとの交易がおこなわれた地域、たとえばシリアやイランなどにも円筒印章は伝播して使われるようになったので、東方はインダス河流域から西方は東地中海世界まで広範囲に円筒印章は出土している。

エジプトにも円筒印章は伝わったが、広まらなかった。広まらなかった理由の最たるものはエジプトの書写材料がパピルスであったことによるだろう。円筒印章の図柄は柔らかい粘土の上でこそ明晰《めいせき》に残るが、試みに円筒印章に朱肉をつけて紙の上にころがしても、ころがしているうちに朱が薄くなって図柄がはっきりしなくなる。むしろ、エジプトではスタンプ印章、つまりスカラベ（甲虫の一種）型印章が使われ、スカラベの裏面に王名を刻み、封泥などに使っていた。

**数量記録粘土板文書**　全面に円筒印章がころがしてあり、左側と、下方に数量が記してある。ハブバ・カビーラ出土

メソポタミア南部で、スタンプ印章から円筒印章に代わった理由については次のようにいわれている。

一つには、経済規模の拡大などから、封泥全体に印章を押す必要ができて、小さな印面のスタンプ印章よりも無限に印面が作れる円筒印章に代わらざるをえなかった。

また、ころがすことで印面が一巡し、さらに無限に印面を作れることはシュメル人の精神性に由来するものであったという。この無限に印面を作れる機能から、円筒印章は甕の縁などにころがして、文様を作るのにも利用された。

さらに別の理由は、孔開け工具が発達した結果、小さなビーズの真ん中に糸を通す孔を開けるような技術を持つ職人が生まれていて、こうした職人が細かい技術を必要とする円筒印章を生み出したともいう。

このように、さまざまな説が出されてはいるが、確定はしていない。

### 開運除魔の護符

円筒印章の役割は封印だけでなく、ほかにもあった。

二一世紀になって、古い時代の不安はなくなっても、新しい時代には新しい不安が生まれている。生きて行くということはいつの時代でも不安がつきものであって、いつなにが起きるかわからない。世の中、精神的に強い人間ばかりではない。多くは、弱い人間である。となれば、神頼みの出番である。そのさいには祈るだけでなく、形で表される安心立命の仕組みがほしくなる。最新の自動車に交通安全のお札があり、小学生のランドセルにもお守りがぶら下げられている。気休めといってしまえばそれまでだが、こうした仕掛けが人間の社会には必要なのかもしれない。

今から四〇〇〇年以上前の、シュメル人の活躍していた時代ともなれば、自然災害、戦争など、不安だらけであった。不安から身を守る術《すべ》の一つが護符であって、円筒印章には護符の機能もあった。

我が国でも、三文判はともかくとして、実印を作るとなれば、印材、書体などに凝って、商売繁盛、開運除魔などの意味を込める。

円筒印章もまた材質や図柄に意味が込められている。メソポタミアでは貴重な石材には意味があった。たとえば、ラピスラズリは権力と神の恩寵《おんちょう》、水晶は富と名声を招くと考えられていたようだ。

護符となれば、常に身につけた。そこで、身につける工夫がいる。円筒印章の真ん中に孔を開け、紐を通して首にかける。あるいは金属製のキャップをつけて、つるすなどの工夫がされていた。マリ市（現代名テル・ハリリ）から出土した、モザイク・パネルに表された女性は胸にピンをとめて、そこから円筒印章をブローチのように下げている。円筒印章は護符であると同時に、アクセサリーともなった。

**ピンから円筒印章をぶら下げている女性**　モザイク・パネル、マリ出土

### 印章彫師の技

円筒印章を作った人々の技術は賞賛に値する。まさに職人芸である。円筒印章はそれまでにあった石製のビーズを作る技術が元になったともいう。鉄製の工具などはない時代なのに、硬い円筒形の石材などの周囲に細かい図柄を刻む、高度な技術を持つ印章彫師たちがいた。

印章彫師は、石工や陶工が使っている工具を使い、さらに弓錐《ゆみぎり》や弓形旋盤を使って、硬い石の曲面に細かい図柄を彫ることができた。銘は小さなスペースに、縦に裏返しに彫っていることから、かなりの技術力が要求される仕事であり、印章彫師は楔形文字が読めたであろうといわれている。仕上げには、金剛砂《こんごうしゃ》(ざくろ石の粉末で、これを膠《にかわ》で紙に貼り付けるとサンドペーパーになる)を使って研磨した。

円筒印章に使われた石の種類は数多い。シュメルは沖積平野にあって、泥はあっても石のない所であるから、石材は外国から輸入した。凍石《とうせき》、水晶、閃緑岩《せんりょくがん》、石灰岩、大理石、アラバスター(雪花石膏)、ラピスラズリなどが円筒印章に利用された。

変わった素材としては鹿の角、かたつむりの殻や焼いた粘土も使われた。また、骨製や木製の円筒印章も存在したといわれるが、実物はメソポタミアからは出土していない。

### 円筒印章の使い方

社会が発展すると、各種の書類が作られた。売買や契約文書、裁判の記録、手紙などに円筒印章が押されることは、初期王朝時代（前二九〇〇―二三三五年頃）やアッカド王朝時代（前二三三四―二一五四年頃）にはまれであって、ウル第三王朝時代（前二一一二―二〇〇四年頃）になって慣習になった。

多くの場合、一枚の書面には一人の印章が押され、売買は売り手、賃借では借り手、品物の受け取りは受取人そして手紙は差出人が押印することが多かった。しかし、国際条約や法的取引などには複数の印章が押された。

封筒が使われるようになったのも前二〇〇〇年頃であった。

文字や手紙のはじまりについてのシュメル人の考えが『エンメルカルとアラッタ市の領主』に書かれていることを第一章で紹介したが、封筒の起源についても『サルゴンとルガルザゲシ』のなかで次のように説明されている。

その当時粘土の上に書かれることは確かにおこなわれていたが、粘土板を封筒で包むことはしなかった。（キシュ市の）王ウルザババは神々が生み出したサルゴンのために手紙を書いたが、それは彼（＝サルゴン）自身の死をもたらすものであり、そして彼（＝ウルザババ）はサルゴンをウルク市のルガルザゲシ（王）に派遣した。

この文章の解釈は二つある。

一つは、キシュ市のウルザババ王は家臣のサルゴンに手紙を持たせてウルク市の王ルガルザゲシに派遣したが、手紙の内容がサルゴン殺害の依頼であったので、見られては困るから封筒

**古バビロニア時代の法律文書**
文書（右）および封筒（左）
それぞれに4つの円筒印章が
押されている（大英博物館蔵）

を考案したとする解釈である。

もう一つは、『サルゴンとルガルザゲシ』はウル第三王朝時代か、その少し後に書かれた文学作品であって、この時期にはすでに使われていた封筒が、サルゴンの頃にはなかったので、ウルザババのサルゴン暗殺計画はサルゴンにわかってしまったという解釈である。

どちらかといえば前者の解釈の方が適当であろう。だが、実際の封筒の使い方は物語とはちがっていた。

封筒には粘土板文書の内容を要約して書き、その上に印章をころがした。この複雑な使い方は今一つ理解しがたいが、封筒のなかの文書が書き替えられていないことを保障するためだったことは確かである。結局、この方法は三〇〇〇年ぐらいでおこなわれなくなり、粘土板文書に楔形文字を書き、その文字の上に円筒印章をころがす方法に変わったが、なんとも読みにくいことになった。これは内容の改竄《かいざん》を防ぐためと考えられるが、そうしなければならない、つまり改竄されることがあったからということになる。人間の社会に不正はつきものということになるであろう。

我が国でも書類の改竄を阻止するために印章が使われ、八世紀の『法隆寺献物帳』や『東大寺献物帳』などには墨で書いた記録の上に内印つまり「天皇御璽《ぎょじ》」が全面に押されている。

現代社会では、クレジット・カードやキャッシュ・カードを紛失すると大変なことになる。実印は印鑑登録をしておく。人間がすべて善人であるならば、拾った人は警察に届け出てくれるだろうが、現実には悪用されることも多い。

小さい円筒印章も紛失することが当然あった。悪人のいない社会はなく、悪用する者もいた。そこで、前二〇〇〇年頃になってからのことであるが、他人が悪用することを防ぐために街路で角笛が吹き鳴らされ、印章の紛失が告知されることがあった。

また、現代と同様に印章を紛失したさいには届出をし、紛失した日時が正確に記録された。

## はんこは語る

### 印影図

円筒印章は発掘によって数多く出土している。印章そのものがあれば、粘土にころがして鮮明な印影図を作ることができる。

印章そのものが残っていなくても、粘土板や封泥に印影が残っていることがあるが、この場合は図柄が鮮明ではない。一部欠損していることもある。小さい図であるから同じ印影を写しても、研究者によってちがっていることがあり、本格的な研究をするさいには、収蔵されている博物館に出向いて実際の印章や封泥などを再検討する必要がある。

円筒印章に刻まれた図柄は時代、地域によって特徴があって面白い。所有者の名前や肩書などが楔形文字で刻まれていることもあって、古代オリエント史研究の重要な一分野となっている。

## 王が主人公

シュメル人の活躍した時代に特徴的な主な図柄を紹介しよう。

ウルク文化期の円筒印章は後代の印章にくらべて大きい。貫通孔がない印章もあって、身につけることを前提にした印章ではなかった。個人の所有ではなく、行政組織のものだったようだ。

印章の上に大きなつまみがついていることがある。それが動物の足骨の末端部に似た形をしているので、印章の原形は骨製であったという説もある。

図1　ウルク市の王と羊が刻まれた円筒印章とその印影図　ウルク文化期後期

図1はウルク市（現代名ワルカ）付近から出土した大理石製円筒印章で、つまみの部分には羊がついている。高さ五・四×直径四・五センチメートルと大きな印章で、ベルリン国立博物館に収蔵されている。

中央に立つ、ヘアーバンドあるいはかぶり物をして、ひげをはやし、格子模様の腰衣を巻いた男性はウルク市の王である。同じような姿をした人物がしばしばウルク文化期の円筒印章の図柄に登場し、宗教儀式や戦闘の場面の主役を務めていて、前章で紹介した「ウルク出土の大杯」上段欠損部分に刻まれていたはずの王はこうした姿であったと考えられている。

王は花（ロゼット文）が咲いた枝を持っている。ロゼット文はイナンナ女神を象徴するなつめやしの花である。その両脇に角のある羊がいて、王は羊にこの花を餌として与えているようだ。

その外側に葦を束ね、上部に輪と吹き流しをつけたイナンナ女神の象徴（前章参照）が立っていて、イナンナ女神の神殿を表している。象徴の「葦束」の内側は神殿内であり、王の行為は宗教的儀式であったと見られる。こうした場面を刻んだ印章は神殿で宝物庫の扉などを封印するために使われた。聖なるアラーム装置ということになろうか。

（上）図２　蜘蛛の図柄　ジェムデト・ナスル期の円筒印章とその印影図（ルーヴル美術館蔵）
（下）３人のポニーテールの女性が機織りをしている場面

### 蜘蛛の図柄

図２はジェムデト・ナスル期に属する印章である。高さ一・八×直径二センチメートルと小さく、ずんぐりしているが、これはこの時期の印章の特徴であった。

図柄は様式化された蜘蛛《くも》である。蜘蛛は巣を作ることから、多くの神話で機織りと結びつけられている。シュメルにおいても機織りの女神ウットゥと結びつけられていた。そこで、この蜘蛛の図柄が彫られた印章は機織り女たちが使ったといわれている。

また、機織りそのものの場面を表した図柄もある。

### 男女交合の図

図3もジェムデト・ナスル期に属する円筒印章の印影図の部分で、ウル王室墓地内から出土した。下段には参詣《さんけい》の女性が神殿の入り口に立っている。上段は交合の場面である。こうした交合の場面を刻んだ印影が多数残っている。

図3　上段・交合の場面、下段・神殿に参詣する女性

シュメルだけでなく、我が国の神社の護符でも、なかを開けてみると交合の場面が描かれていたり、街道の傍らや村落の入り口に立てられている道祖神の像にも交合の図が彫られているものがある。

前章で話したように、交合図は豊饒《ほうじょう》祈願の象徴で、「死」の対極にある「生」「性」の力は魔除けともなった。

### 饗宴図

饗宴図《きょうえんず》は初期王朝時代シュメルで好まれた円筒印章の図柄である。

図4は「ウル王墓」から出土した副葬品のラピスラズリ製円筒印章である。高さ四・一×直

径一・七センチメートルの大きさで、ペンシルヴェニア大学博物館に収蔵されている。

上下二段に分かれている。上段では、大きな甕からストローでビールを飲んでいる二人の男性と、椅子に座って杯を手にした女性と、立っている女性がいて、彼女たちの間に「ドゥムキサル」と、この印章の持ち主の名前がはいっている。

下段には牡牛の頭がついた竪琴《たてごと》（一一九ページ中図参照）が見え、持ち運ばれている。この竪琴が奏でる音楽を伴奏にして、楽しそうに多くの人が踊っているようだ。

図4　饗宴図が刻まれた円筒印章とその印影図（ペンシルヴェニア大学博物館蔵）

こうした饗宴は宗教的な意味を持つものであったといわれている（第四章参照）。

### 闘争図

初期王朝時代シュメルの円筒印章で、饗宴図と並んで好まれた図柄の一つが闘争図である。この様式名については研究者の間で異論があり、ファラ（古代のシュルッパク市）から出土した印章に多く見られることからファラ様式、ルガルアンダ王の印章の図柄を典型と見て、ルガルアンダ様式とも呼ばれている。

闘争図は野生動物と家畜の戦いを描いたのが最初であった。基本的には小さな画面にすし詰め状態に描かれた獣、シュメル人の想像から生み出された合成獣そして英雄などが加わって、一つの場面を構成しているが、時代、地域によって変化がある。

図5は「ウル王墓」から出土した印影図（高さ六センチメートル）で、実物の印章はない。右上にシュメル語で「メスアンネパダ、キシュ市のルガル（＝王）、ヌギグの夫」と書かれている。

メスアンネパダ王は前二五世紀頃のウル市の王であったが、「キシュ市の王」（第四章参照）を自称した有力者であって、イナンナ女神の別名であるヌギグの夫と書いてある。「女神の夫」と称していることから、前章で紹介した女神に扮した女神官と王との間でおこなわれたという「聖婚儀礼」に、メスアンネパダ王はかかわっていたとも見られている。

図5　闘争図　メスアンネパダ王の円筒印章印影図

銘の下は短い刀とおぼしきものを右手に、左手で前にいる人物の足を持つ四人が車状に回っている奇妙な図であるが、なにを意味するかわからない。

横向きの裸体の英雄がライオンに刃を突き立て、ライオンは正面を向いた裸体の英雄に嚙《か》み付き、正面を向いた英雄はライオンにのど元を嚙まれている牛の前足をつかんでいる。さらに、欠損しているが、ライオンの背後には、ライオンの尾をつかんでいる牛人間がいたと思われる。

## ルガルアンダ王と后妃の印章

ラガシュ市のルガルアンダ王は少なくとも三つ印章を持っていたが、実物は一つも残っていない。扉の封泥に残された印影も含めて、印影のみが三つ残っている。図6で紹介する印影図が刻まれていた印章は、ルガルアンダから王権を簒奪《さんだつ》したウルイニムギナ王によって銘を彫りなおされ、再使用されたものである。ルガルアンダはウルイニムギナによって王権を奪われ、印章もとられ、そのうえ「改革碑文」のなかで悪事を働いたと糾弾され（第五章参照）、踏んだりけったりである。

図6　闘争図　ルガルアンダ王の円筒印章印影図

図6は封泥に残された印影で、高さ四・三×直径二・三センチメートルの大きさである。左上の銘は「ルガルアンダヌフンガ、ラガシュ市のエンシ（＝王）」と王の正式名で刻まれている。

一方の手でライオンの尾をつかみ、もう一方の手で短剣をライオンの頭に突き立てているのはエンキドゥであるという。エンキドゥは野人であったので、下半身は獣である。ライオンの頭上にはアンズー鳥（以前はイムドゥグド鳥と呼ばれていた。第八章参照）がいる。ライオンの間に人面牡牛と羚羊《かもしか》がライオンに噛まれている。銘の下で正面を向いて、牛を抱いているのはギルガメシュだともいう。

英雄、草食獣、肉食獣、合成獣はそれぞれが自然の諸力を表し、これらの均衡が世界秩序を保障するという。したがって、戦っているよ

図7　優しげな「闘争図」　バルナムタルラ后妃の円筒印章印影図

うにも、抱き合っているようにも見え、絶対的な勝者、敗者があるとは考えられない。つまり、前で話したように、研究者によっては「闘争図」の呼び方を好まない理由はここにある。

図7はルガルアンダ王の后妃バルナムタルラが持っていた円筒印章で、高さ四・八×直径一・二センチメートルと細長い印章だったようだ。珍しいことに、二段ではなく三段に分かれて、上段右に「バルナムタルラ、ラガシュ市のエンシ（＝王）、ルガルアンダの妻」と書かれている。

上段には正面を向いた英雄が両側に牛を抱き、その牛をライオンが襲っている。中段は正面を向いた英雄と植物、下段は牛人間、ライオン、英雄などが画面狭しと詰め込まれているが、闘争よりも抱擁と見えなくもない場面が展開されている。

シュメル社会は男女平等ではなかったが、女性は財産を所有でき、事業で契約を結ぶことができ、裁判に出廷して証言することができた。したがって、女性が円筒印章を持つことは特異なことではなかった。「ウル王墓」からはともにラピスラズリ製のプアビ后妃、ニンバンダ后妃の円筒印章が出土している。

## メルッハの水牛

アッカド王朝時代になっても闘争図は使われ続けた。だが、登場する動物や英雄の種類が減り、初期王朝時代の闘争図ほどには詰め込まれてはいない。また、シュメルよりも印章彫師の技術が向上していて、印影図を拡大してみると、小さな英雄の筋肉表現などが写実的であって、驚かされる。

図8　ラフム神と水牛　書記イブニ・シャルムの円筒印章印影図（ルーヴル美術館蔵）

　アッカド王朝第五代シャル・カリ・シャリ王（前二二一七―二二九三年頃）時代の硬い黒色の石に彫られた印章が残っている。高さ四・〇×直径二・七センチメートルで、ルーヴル美術館に収蔵されている。この印影が図8である。

　印影図中央に「シャル・カリ・シャリ神、アッカド市の王。書記イブニ・シャルムは彼の僕《しもべ》」と銘が入っている。シャル・カリ・シャリ王は神格化されていて、そのことが名前の前に「神」を示す限定詞をつけることで示されている。この印章の持ち主は書記イブニ・シャルムである。

　豊饒を象徴する、あるいはティグリス・ユーフラテス両河の水が湧《わ》いて出るともいわれる流水の壺を持っているラフム神と、角の長い水牛の組み合わせである。ラフム神は巻き毛を垂らした裸体で表現される恵みの神である。足下は鱗《うろこ》状の山の間を河が流れている風

図9　メルッハの通訳の円筒印章と印影図（ルーヴル美術館蔵）

景である。

水牛はメソポタミアに棲息《せいそく》していた動物ではなく、メルッハ（インダス河流域地方）からアッカド王朝初代サルゴン王（前二三三四―二二七九年頃）の「王家の動物園」へ入れるために連れて来られたという。したがって、王家にかかわる人々の印章の図柄に水牛が見られるともいわれている。大きな角は上から見た形を表していて、インダス河流域の印章でも同じ表現を採用している。「王家の動物園」とは戦利品あるいは貢ぎ物として連れて来られた動物を、珍しいから飼っていたというのが真相であろう。こうした例はサルゴン王以前にもある。エジプトでは第五王朝時代、アブシールのサフラー王（前二四七一―二四五八年頃）葬祭殿から首輪をつけた熊の浮彫が出土しているが、熊はエジプトにはいない動物である。交易関係のあるシリアから連れて来られ飼われていた。

熊はシュメルではザグロス山脈方面から連れて来られていた。前二六〇〇年頃の「ウル王墓」から出土した竪琴の共鳴箱正面に「踊る熊」の図像がある。約五〇〇年後のウル第三王朝時代には家畜が貢納され、熊も含まれている。熊は道化師に引き渡されたことから芸をさせたようだ。すると、「踊る熊」の図は全く荒唐無《こうとうむ》稽《けい》なことではなく、熊は実際にいた可能性がある。シュメルの熊は芸達者で知られているボリショイ・サーカスの熊の先駆けであったようだ。メルッハとの交流は同じアッカド王朝時代の「シュ・イリシュ、メルッハの通訳」と刻まれた蛇紋岩《じゃもんがん》製円筒印章（図9、高さ二・九×直径一・八センチメートル、ルーヴル美術館蔵）からもわかる。

図9は、女神への礼拝場面であって、二人の礼拝者が供物を携えている。女神はといえば、ひげのある子神を膝《ひざ》に乗せている。女神の背後には従者と大きな容器が三つある。

**「神々の勢揃い」**

図10は、全員が角のある冠をかぶっている「神々の勢揃い」の図柄の円筒印章で、それぞれの神の特徴がよく表れていることから、神々を説明するさいにしばしば引用されている印影図である。

緑色の石に彫られた、高さ三・九×直径二・五五センチメートルの大きさをしたアッカド王朝時代の円筒印章であって、大英博物館に収蔵されている。

左上に「アドダ、書記」と印章の持ち主の名前が書かれている。

左端、銘の下ではライオンが吼《ほ》えている。このライオンをしたがえて、正面を向いて弓と箙《えびら》で武装した神は戦《いくさ》の神にして豊饒神、ニヌルタ（ラガシュ市のニンギルス）神である。武器について興味のある研究者はニヌルタの弓はかなり強力な合わせ弓であり、箙から矢をふくための

図10　「神々の勢揃い」　書記アドダの円筒印章印影図（大英博物館蔵）

羊毛の房が垂れ下がっていることに注目している。印章彫師は細かいところまで神経を行き届かせている。

　正面を向いて、翼を広げている神はイシュタル（シュメルのイナンナ）女神である。左手にはなつめやしの房を持って、豊饒神であることを表し、両肩から出ている武器は戦の女神であることを表している。

　イシュタル女神の足下、山のなかから立ち上って来るのは太陽神にして正義を司るシャマシュ（シュメルのウトゥ）神である。シャマシュ神は肩から太陽光線が出ている。太陽神は、夜間は冥界《めいかい》に降りていて、夜明けにのこぎり状の刃のついた武器で切り開いて、山から立ち上って来て、日の出となると考えられていた。

　山に片足をかけている神は、知恵を司る神にして水神のエア（シュメルのエンキ）神である。肩から魚が泳ぐ流水が出ていて、右手上に鷲《わし》、足下には牡鹿（あるいは野生山羊）、そして背後にはエア神の家臣にして双面の神ウスム（シュメルのイシムド）神がしたがっている。

　これだけの大神たちが揃っている印章は珍しく、護符としてさぞやご利益が期待できたと思う。

### 『エタナ王の神話』

神話の場面が刻まれた印章もある。

『シュメル王朝表』（序章参照）では、洪水後にキシュ市に王権が降る。その第一二代がエタナ王であって、「牧人、天へ昇った者」と説明されていて、一五〇〇年あるいは一五六〇年の長きにわたり支配したと書かれている。

エタナは後継者がなく困っていて、太陽神シャマシュに祈願した。すると、神は蛇との約束を破って、蛇の子を食べたために罰として穴に閉じ込められていた鷲の話をし、その鷲が「誕生の草」のありかを教えるというので、エタナは鷲を助け出す。鷲はエタナを乗せて、「誕生の草」を求めて天へ飛び立つが、あまりの高さに恐れおののき、エタナは鷲とともに落下してしまう。

この後、文書は欠損していて、物語はどうなったかわからない。だが、『シュメル王朝表』に「エタナの子、バリフ」の名前があるところを見ると、エタナはめでたく後継者を得られたようだ。

『エタナ王の神話』はアッカド語で書かれた古バビロニア版が最も古いが、それよりも二〇〇ないし三〇〇年も古いアッカド王朝時代にすでにこの物語が流布していたことを示す証拠となるのが、複数の円筒印章に刻まれた『エタナ王の神話』の一場面である。

図11　鷲に乗ったエタナ王（右上方）
『エタナ王の神話』円筒印章印影図

図11は蛇紋岩製円筒印章（高さ四・五センチメートル）の印影図で、ベルリン国立博物館に収蔵されている。場面が込み入っているが、エタナが鷲に乗って、天に昇らんとしている。その真下で、両手を上げて座り込んでいる女性はあまりのことに驚いたエタナの妻かもしれない。犬どもも驚いて見上げて、鳴いているようだ。

羊飼いもいる。一頭の山羊と二頭の羊がいるが、これは第二章で紹介した「先頭の山羊」に率いられる羊の群れを象徴している。左端上部では壺に入れたミルクを攪拌《かくはん》している男性がいる。前方に丸いものがあるが、これは多分チーズであろう。酪農の場面はウバイドの神殿の石製装飾壁（六八ページ図参照）でも見られた。

**紹介されるグデア王**

グデア王の印章は、印章そのものはなく、印影（高さ二・七センチメートル、ルーヴル美術館蔵）が残存している。

図12では、左上に「グデア、ラガシュ市のエンシ（＝王）」と三行にわたってシュメル語の

銘が刻まれている。

このような図柄は「紹介の場面」あるいは「謁見の場面」といわれ、グデアによって打ち立てられたという。この場面の持つ意味は第八章で詳しく扱う。人間は王といえども、直接大神の前に額《ぬか》ずくことはできなかった。大神に拝謁するときにはそれぞれの個人を守護する個人神の紹介を必要とした。したがって、「紹介の場面」は護符としての機能も持つ円筒印章にはぴったりの図柄であった。

図12　グデア王の円筒印章印影図

「鼻に手を置く」祈りの仕草をしているグデア王の手を、両肩から冠をかぶった蛇が飛び出ていることが特徴である王の個人神ニンギシュジダがつかんで大神に紹介している。

グデアの背後で両手をあげているのは誰でも守護してくれる、慈悲深いラマ女神である。銘の下にはムシュフシュ（第八章参照）がしたがっている。

椅子《いす》に腰掛けた大神は研究者によって議論が分かれるところである。流水の壺が両手、両足の下、椅子の下にあることから水神エンキとする説もあるが、ラガシュ市の王であるグデア王が持っていた印章であることを考慮すると、ラガシュ市の都市神にして、豊饒神でもあるニンギルス神と解釈した方が正しいと思う。

## 神となった王

「紹介の場面」はウル第三王朝時代にも好まれたが、前代とはちがって、すっかり画一化される。高官が女神によって、神あるいは神格化された王の前に進み、画面上方には三日月が登場する。

図13はバビロン市から出土した、緑色の石（高さ五・二八×直径三・〇三センチメートル、大英博物館蔵）に刻まれた玉座に座る神格化された王の前での「紹介の場面」である。「ウルナンム、強き男、ウル市のルガル（＝王）。ハシュハメル、イシュクンシン市のエンシ（＝都市支配者）はあなたの僕」と、右端に銘が刻まれている。

図13　ウル第三王朝時代の「紹介の場面」　ハシュハメルの円筒印章印影図（大英博物館蔵）

この王朝、最後の二人の王の時代になると、印章が高官に下賜されたが、そのさいには、こうした場面が印章に描かれていた。

## その後の円筒印章

シュメル人の最後の王朝であるウル第三王朝が前二〇〇四年頃にエラムの攻撃で滅亡しても、シュメル人の発明した円筒印章は使われ続けた。

人間が持つ円筒印章は神々も持つと考えられ、アダド神やアッシュル神所有の印章が知られている。

前五世紀にバビロニアへやって来たヘロドトスは、この地では「各人が印章と手作りの杖《つえ》をもっている」（『歴史』巻一、一九五）と、円筒印章を持つ習慣が続いていたことを伝えているが、これは円筒印章の長い歴史の最後の時期になる。

当時、オリエント世界を支配していたアケメネス朝ペルシア（前五五〇－三三〇年）ではアラム語が共通語であり、おもにパピルスや羊皮紙に墨でアラム文字を書いていた。楔形文字は前五世紀末まで一部で使われていたが、その後使用されなくなり、同時に粘土板にころがす円筒印章もまた廃れた。

中国では殷代（前一七－一一世紀頃）にスタンプ型の銅印が現れたのが最初であるという。一説にはメソポタミアの印章文化の影響があるといわれているが、具体的にどう結びつくかは今後の研究課題である。

# 第四章
# シュメル版合戦絵巻
## 都市国家間の戦争

「戦争の場面」（「ウルのスタンダード」）
「ウルのスタンダード」はシュメル美術を代表する逸品であり、現在は大英博物館の至宝の一つであることから、シュメルについてとくに興味のない人でも、一度ぐらいは本やテレビで見たことがあるのではないだろうか。
　戦場で掲げるスタンダード「旗章」と発見者ウーリーが推測したことで「ウルのスタンダード」と呼び習わされてきたが、現在では楽器の「共鳴箱」とする説もある。横長矩形の前後２面が「戦争の場面」「饗宴の場面」のモザイク・パネルで、両側面にも「神話の場面」がある。本章ではこのなかから、「戦争の場面」を中心に、シュメル人の社会で繰り広げられた戦争のありさまを見て行くとしよう。
　ラピスラズリ、赤色石灰岩などのモザイク、「ウル王墓」出土、前2600年頃、高さ約21.6㎝、幅約49.5㎝、大英博物館蔵

## 戦争のはじまり

### 神々の思惑

序章で紹介した『アトラ（ム）・ハシース物語』によれば、戦争は不妊とともに、人間が増えすぎないように神々によって定められたというが、神々の思惑通りに人間の世界では戦争が次から次へと繰り返されている。

イラクにおいても、一九五八年には王制を倒して共和制を樹立した「イラク革命」、「イラン・イスラム革命」のイラクへの波及阻止と領土拡大を目的とした「イラン・イラク戦争」（一九八〇―八八年）、一九九〇年のイラクによるクウェート占領から翌一九九一年のアメリカを中心とする多国籍軍がイラクを攻撃した「湾岸戦争」、そして二〇〇三年のアメリカ軍によるフセイン大統領追い落としが目的ともいえる「イラク戦争」と、戦争が繰り返されている。

さかのぼれば新石器時代にはすでに戦争は北部メソポタミアで起こっていた。ハッスーナ文化期（前六〇〇〇―五〇〇〇年頃）後期のテル・エス・サワン遺跡は全体が周濠に囲まれ、後期になると城壁で囲まれていた。チョガ・マミ遺跡では城壁と灌漑用水路らしき溝がともに発見されている。周濠や城壁は敵の来襲に備えた防衛のための設備であって、当時すでに灌漑農耕社会における土地争いが起きていたことを示している。

前二九〇〇年頃に始まる初期王朝時代は、シュメルの都市国家間で覇権をめぐり、あるいは交易路や領土問題などから争いが絶えない戦国時代であった。

初期王朝時代は第Ⅰ期（前二九〇〇―二七五〇年頃）には都市国家間の戦争が頻繁にあったことから城壁の内側に人々が住むようになり、第Ⅱ期（前二七五〇―二六〇〇年頃）も戦争が続く状態は変わらなかった。第ⅢA期（前二六〇〇―二五〇〇年頃）には、ラガシュ、ウンマ両市間の争いをキシュ市のメシリム王が調停するほどの勢力を示していた。第ⅢB期（前二五〇〇―二三三五年頃）になると、ラガシュ、ウンマ両市の約一〇〇年にわたる戦争がラガシュの王碑文に詳細に書かれ、これは戦争についての最古の歴史的記録になる。

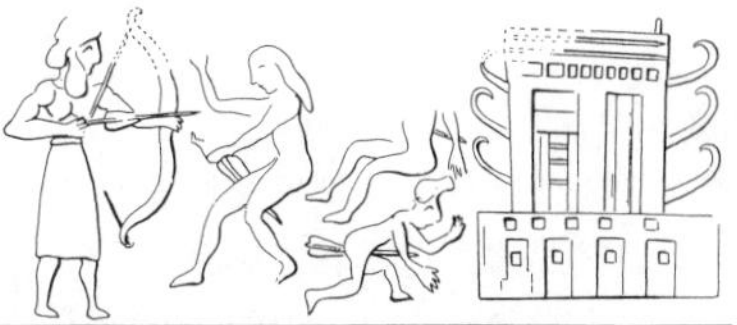

強弓を引いて戦う王　右方は城壁で囲まれた都市で、高くそびえ立つ建造物は神殿か。ウルク文化期、円筒印章印影図

## 戦争の記録

ラガシュ市の書記はラガシュ、ウンマ両市間の戦争の様子を「正義はラガシュ市にあり」の視点で書きとめている。

端《はな》から「戦争そのものが好きだ」という人はまずいないと思う。戦争とは人を大量に殺すことであり、参戦すれば自らが死ぬこともありうる。だが、土地がほしい、物がほしいといった欲望から武力を行使して、その結果が戦争になることは古代からあった。その場合、人間は常に「正義は我にあり」を大義名分にして侵略や略奪を

【城壁、城門が描かれた地図】

前3000年紀以降のメソポタミアでは都市は城壁で囲まれていた。当時作られた地図にも城壁が書き込まれていた。

19世紀末にペンシルヴェニア大学はテルロー遺跡から北方約100kmにある、現代名ヌファルと呼ばれていたテル（遺丘）を、名前の類似からシュメルの最高神、エンリル神が祀られた聖都ニップルであろうと見当をつけて発掘をおこなった。このヌファルからは、シュメル語で書かれた、文学作品も含む約３万枚の粘土板文書が発見されたが、そのなかから前1500年頃のニップル市を表す地図が見つかった。

この地図は実際の発掘作業に利用されるほど正確であった。ニップル市全体を正確に描いた地図であったことは航空写真で証明されており、現在はドイツのフリードリッヒ・シラー大学ヒルプレヒト・コレクションに収蔵されている。縦21㎝、横18㎝の大きさで、地図の真ん中に en-lil$_2^{ki}$「エンリルの場所」つまりニップル市と書かれ、エンリル神が祀られているエクル神殿も見える。

この地図はいかなる目的で作られたのだろうか。城門の名前が詳しく書かれていることから、軍事目的で利用されていたといわれている。

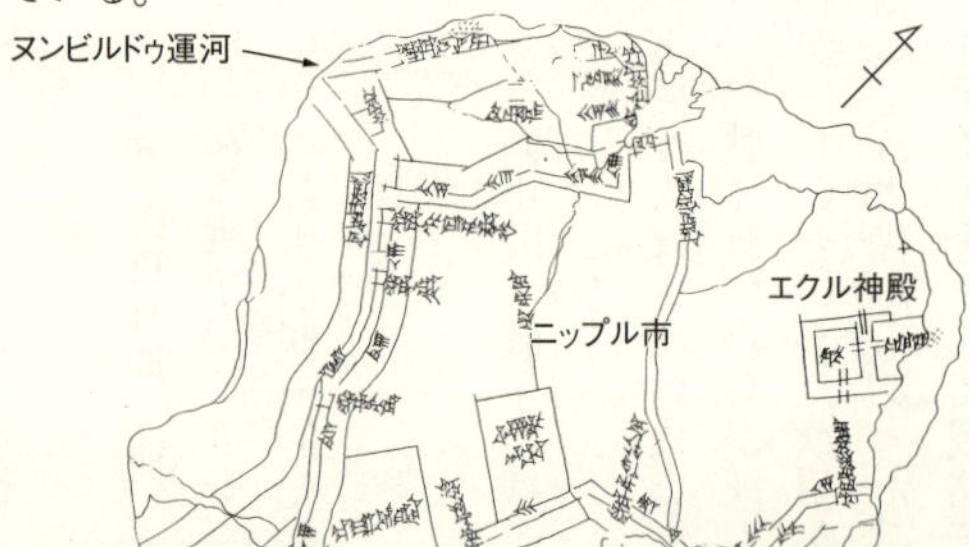


ニップル市の地図

おこなう。常に「正義」の美名のもとに戦争はおこなわれてきた。

戦争が始まってしまった以上、否応《いやおう》なしに参戦した男性たちは国家のために雄々しく戦わなければならなくなった。戦争は単なる大量殺人ではなく、いかに敵を倒すか、あるいはいかに死に赴くかが問われるようになり、それぞれの民族の美学を反映させ、戦《いくさ》の場で名をあげる「英雄」たちが生まれた。運良く勝利を収めれば、悪《あ》しき敵を打倒した味方の武勇や正義を強調した「聖戦」の記録を図像や文字で残し、栄誉や功業として後世に伝えることを考えた。

すでにウルク文化期の円筒印章の図柄は戦争を伝えているが、初期王朝時代におけるシュメル人の戦争の様子を目で見える形で伝える「ウルのスタンダード」の「戦争の場面」（前二六〇〇年頃）と「エアンナトゥム王の戦勝碑」（前二四五〇年頃）は、シュメル版「合戦絵巻」とでもいえよう。前者は図像だけ、後者は図像とシュメル語の王碑文からなる。

## ウルのスタンダード

### 「ウル王墓」の発見

「ウルのスタンダード」は「ウル王墓」から出土した。ウーリーがウルの発掘を始めた一九二二年は、二〇世紀考古学最大の発見といわれているトゥトアンクアメン（ツタンカーメン）王（前一三四七―一三三八年頃）の墓が、イギリス人H・カーターによってエジプトの「王家の

（上）試掘坑Ｘ　王墓のある地域の南方に深い竪穴を掘って、ウーリーはウルの先史時代を調査した
（下）神殿内から出土した石像の汚れを払うウーリー

谷」で発見された年でもある。エジプト王墓では未盗掘のまま残っていた数少ない例で、おびただしい数の黄金製品はエジプトの繁栄を垣間見せるに充分であった。

そのトゥトアンクアメンの王墓よりも約一〇〇〇年以上も前の、前二六〇〇年頃の「ウル王墓」は一九二七年になって発見された。ウーリーは「王墓説」を唱えたが、「反王墓説」も出された。メソポタミアの発掘といえば神殿や宮殿などが主体であったが、「ウル王墓」は従来と全く異なる性格の遺跡であった。「ウル王墓」は王、后妃だけでなく多数の殉葬者を伴っていたのである。たとえばここでは「聖婚儀礼」がおこなわれ、神の代理を演じた者が埋められた儀式の跡であるといった説も出された。

しかし、後代のウル第三王朝時代（前二一一二―二〇〇四年頃）には、后妃は王の死後まもなく死者として祀られていることから殉死がおこなわれていた可能性がある。また、第三王朝時代のウルの帝王陵は「ウル王墓」が発展したものとも考えられ、ウーリーのいう「王墓説」が妥当であろう。

### 殉死は文明社会の証

殉死がおこなわれた社会というと未開社会を連想するかもしれないが、逆である。殉死は文

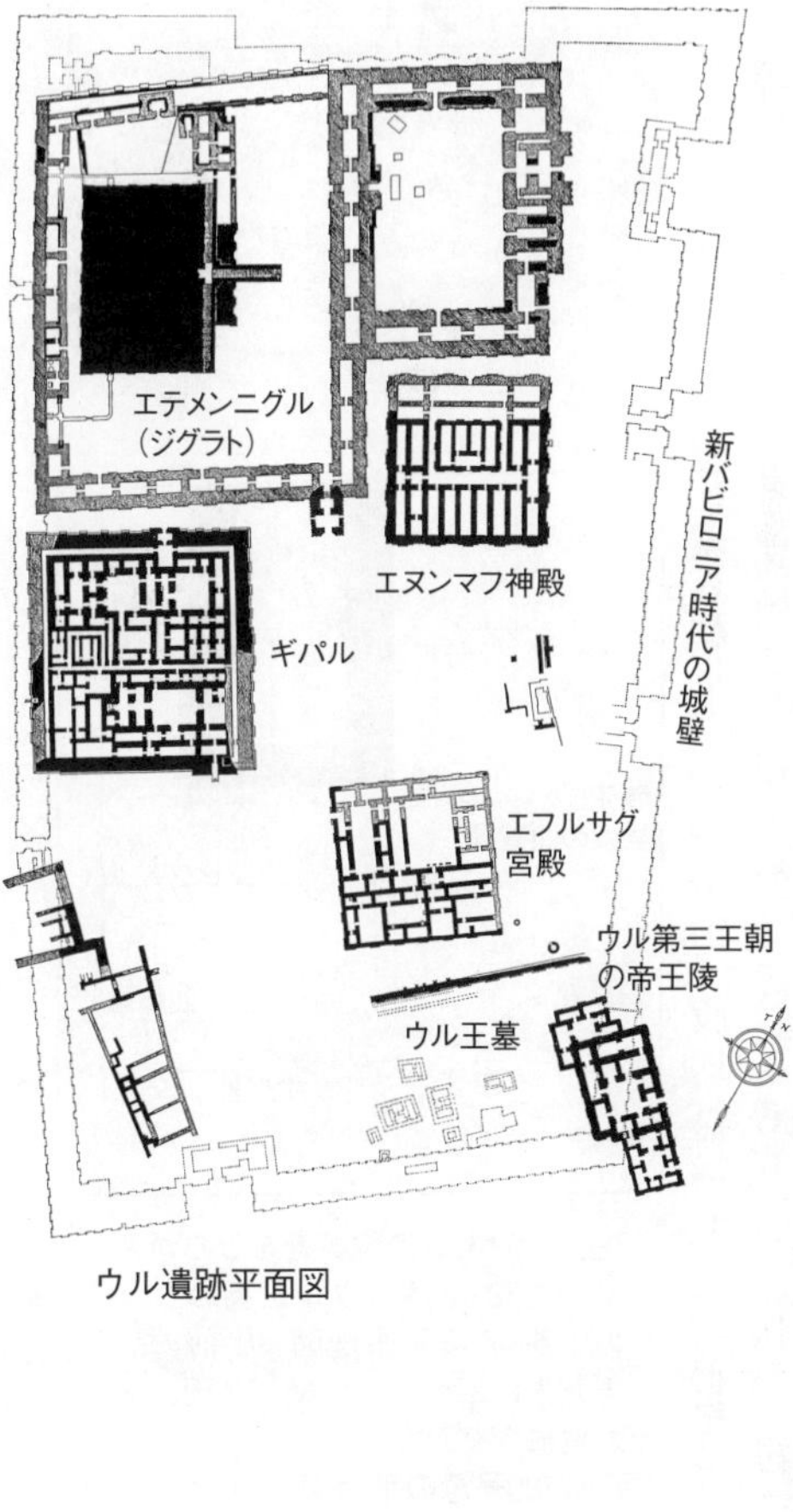


ウル遺跡平面図

明社会およびその影響圏に見られるという。中国・殷代（前一七―一一世紀頃）の「大墓」から発見された多数の殉死者は強制された死であった痕跡があるが、これより約一〇〇〇年先立つ「ウル王墓」の殉葬者は特別に抵抗した様子もなく、従容《しょうよう》と死に赴いている。殉死を正当化する具体的なシュメル人の思想はわからないが、国家組織ができ、明らかに支配者と被支配者とが存在し、両者の間になんらかの道徳的な感情が存在したことを意味するだろう。シュメル人が野蛮であったということでは決してない。

日本でも卑弥呼《ひみこ》（三世紀頃）の墓には奴婢《ぬひ》が葬られたと『魏志倭人伝《ぎしわじんでん》』に伝えられ、江戸時

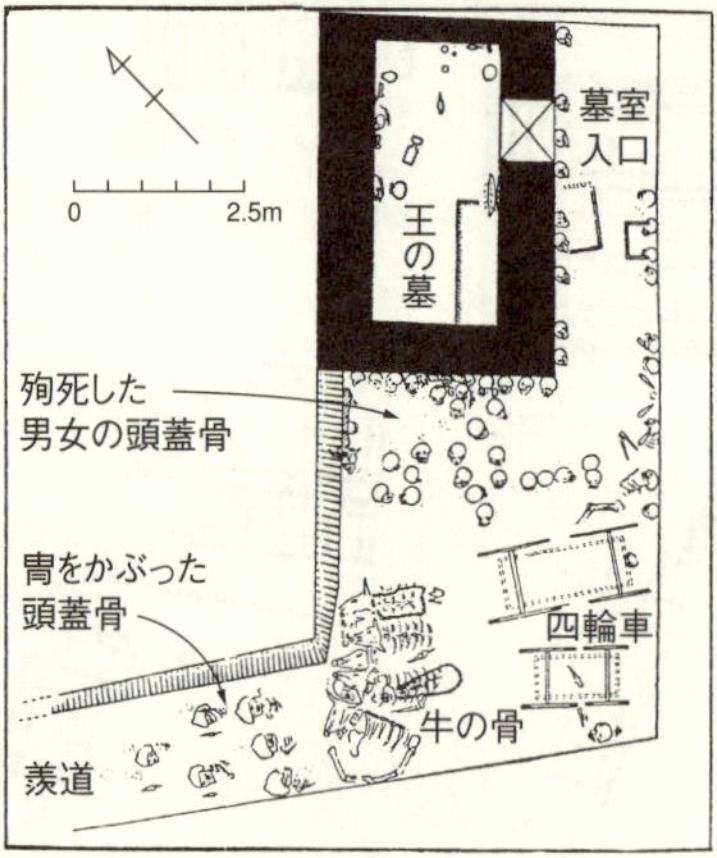


（上）約60人もの殉葬者をしたがえていた789号墓（ウル王墓のなかの１基）の復元想像図　手前に兵士と牛に牽かせた四輪車２両、その奥に女官たち
（下）789号墓の平面図

ウル王墓出土品
(左)ロゼット文（なつめやしの花）の付いた木と山羊　金とラピスラズリ製、本来一対で祭壇に置かれていたようだ（大英博物館蔵）
(中)牡牛頭部の付いた竪琴　金、ラピスラズリ製（大英博物館蔵）
(右)装飾品　アテネ・オリンピック入場行進の先頭に立つ女性がかぶっていた髪飾りはこれを模したもの（イラク博物館蔵）

代の武家社会でも「君に忠」の儒教が範となり、主君が死ぬと家臣が殉死することもあった。森鷗外の『興津弥五《おきつやご》右衛《え》門《もん》の遺書』も江戸時代の殉死の問題を扱った歴史小説であるが、鷗外が執筆したきっかけは明治天皇の崩御にともなう乃木希典《まれすけ》大将夫妻の殉死であったことはよく知られていて、これは一九一二年（大正元年）のできごとである。

　忠誠を示すのに死ぬことはないと現代人は思う。だが、現代の組織でもトップの交代といった事態が起これば、そのトップが引き立て、重用した人々が役職の座から去ること、あるいは追われることは日常茶飯事である。近代社会が獲得した個人主義はどこ吹く風で、個人の資質や能力にかかわりなく、組織から抹殺される。見方によっては現代版の「殉死」といえる。殉死の風習はシュメル人の時代から現代まで連綿と続いているといえるのではなかろうか。

## 「饗宴の場面」

死にさいして供をつれるほどの王の権力が小さいはずはなく、当然「ウル王墓」から出土した数々の副葬品は黄金、銀、ラピスラズリなど高価な材料がふんだんに使われ、高い技術力で作り上げられていて、シュメル文化の高さ、豊かさなどを明らかにした。その一つが「ウルのスタンダード」である。

「戦争の場面」はもちろんのこと「饗宴の場面」「神話の場面」も人物像は全員男性である。「戦争の場面」があることから、「饗宴の場面」は戦争に勝利したあとの祝宴と考えられていたが、上段では右端の一人を除いて全員剃髪した姿で表現されているので、宗教的な意味を持った豊饒祈念あるいは感謝の饗宴のようだ。

シュメル人男性は誰でも常に剃髪していたように誤解されているが、たとえば後で詳しく触れる「エアンナトゥム王の戦勝碑」をよく見ると、兵士らがかぶっている冑《かぶと》の下から髪の毛が出ているし、また王の冑は髷《まげ》を結った形であることからも、すべての男性が常に剃髪していたのではないことがわかる。神官は別にしても、俗人が宗教的な意図を持った場面に登場する場

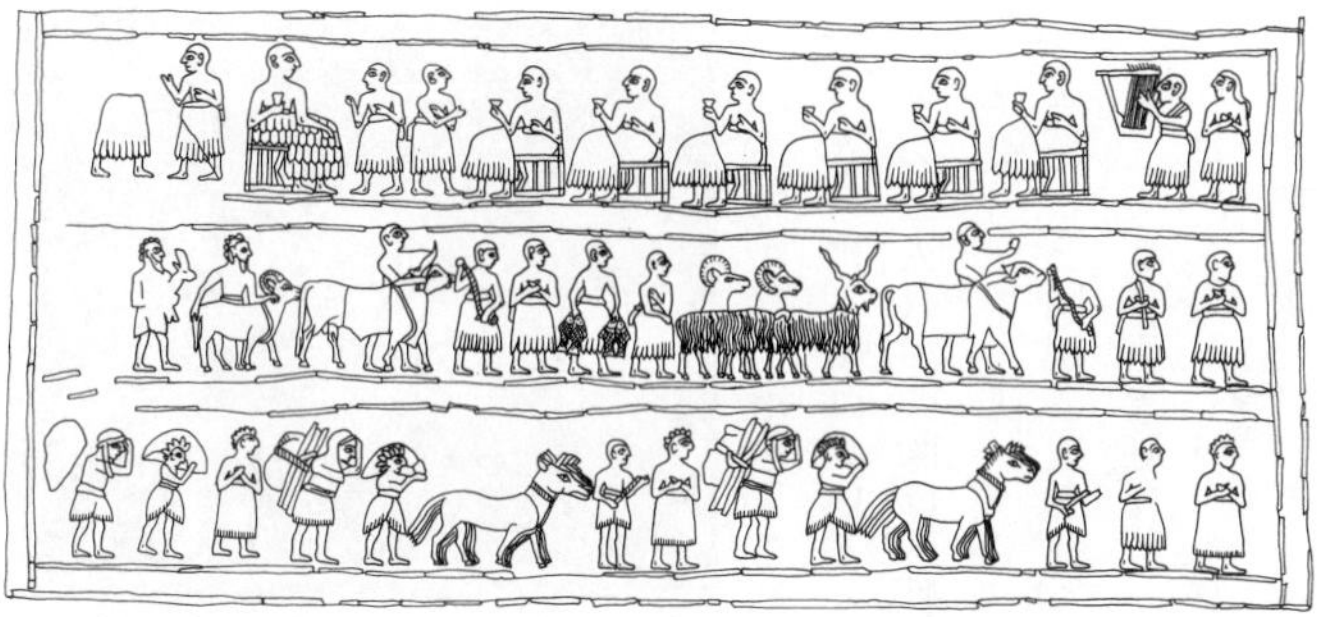

「饗宴の場面」(「ウルのスタンダード」)

合には剃髪で表していたようだ。

「饗宴の場面」の下段および中段は献上品を運ぶ行列である。中段で行列を導くのは、胸の前で手を組む「恭順の仕草」を示している人であって、牡牛、山羊と羊(第二章参照)、魚などが献上される場面である。これらは南部シュメルの牧草地や湿地などのさまざまな地域を象徴しているという。下段はモザイクの復元状態が今一つ良くないが、穀物を入れた袋などが運ばれている様子が描かれている。

中段および下段には、剃髪した人々とは明らかにちがう、髪の毛があって、体の前であわせる短い腰衣を巻いた人々が見られる。これらの人々については同じ腰衣を巻いた人が側面「神話の場面」および裏面「戦争の場面」中段右半分に見られ、後者では敵兵であることから、捕虜にされた敵兵が労役にかり出されたとも考えられている。

献上品を持って行く先は上段に座る王である。上段左から三人目の男性はひときわ大きく、腰に巻いたカウナケス(細い舌状の列で表されている羊毛皮)の表現も詳細であることから、この人物がウル市の王である。王および向かい合って座る六人の男性が杯を手にしている。

さらに、楽師がいることも、この饗宴が宗教的な意図を持っていたことを示している。右端から二人目の楽師は、牡牛頭部の付いた竪琴を持っているが、同じ形の竪琴が「ウル王墓」から出土している。楽師の背後、右端に立つ人物はマリ遺跡から出土した「大歌手ウルナンシェ座像」と同様に髪を長くしていて、一見女性のようであるが、じつは男性で、楽師の伴奏で歌う、ガラ神官と呼ばれたカストラート（去勢歌手）であろう。

ところで、イギリスのオックスフォード大学東洋学科ではシュメル文学などの全文書を編集し、英語訳をつけてインターネットで公開するという大きな計画が進行している。

(上)牡牛　「饗宴の場面」中段
(中)楽師とカストラート　「饗宴の場面」上段右端
(下)大歌手ウルナンシェ座像
(ダマスカス博物館蔵)

このウェブサイト（http://www-etcsl.orient.ox.ac.uk/edition2/general.php）を開くと、なんと「饗宴の場面」上段が出てくるが、よく見るとデスクトップのパソコンを操作しているではないか。イギリス人研究者のユーモアに脱帽である。

パソコンを操作するウル市の人々（オックスフォード大学東洋学科のウェブサイト）

## 戦車は速く走れたか

さて、「戦争の場面」であるが、下段から中段そして上段へと時間の流れを追っていくように構成されている。

下段には御者と兵士の二人が乗った四頭立て四輪戦車が四両ある。戦車を牽いている動物は馬ではない。ろばという説もあるが、オナガー（学名エクウス・ヘミオヌス・オナガー。半ろば、高足ろばともいう）説が有力である。オナガーに銜《はみ》はまだ使われていない。鼻革に付けた手綱をながえに取り付けた環を通して操っていて、上段左端の戦闘が終わった状態の戦車を見るとはずしてある。

左端のオナガーは並足だが、ほかのオナガーは駆け足で、右へいくほどオナガーの前足が上がっていることから、一両の戦車が次第に速度を増して行く様子を表しているようだ。

しかし、鼻革に付けた手綱を操って、二枚の板をあわせただけの車輪で、実戦でどのくらい耐えられたか疑問である。戦場までは戦車に乗って行き、実戦の場では戦車から降りて戦ったとも考えられる。

## 馬の登場

ところで、シュメル人と馬とのかかわりについて簡単に話しておこう。

シュメル語では、まず「ろば」アンシェがあって、「オナガー」はアンシェ－エディン－ナ（「草原〔エディン〕のろば」の意味）と呼ばれ、そして「馬」はアンシェ－クル－ラ（「山のろば」の意味）などと名付けられた。

馬がバビロニア世界へ登場する時期については意見が分かれているが、今では従来考えられていたよりも早く、前三〇〇〇年紀末と考えられるようになった。

ウル第三王朝第二代シュルギ王（前二〇九四－二〇四七年頃）は自らを神格化し、多数の王讃歌を作ったが、『シュルギ王讃歌A』のなかで「私は尾をなびかせて、街道を行く馬（アンシェクルラ）である」と自らを馬になぞらえている。馬は物を運搬させたり、畑を耕作させたりするための動物ではなく、その機動力を最大限軍事面で利用するものであり、近代にいたるまで良き馬を得ることが国力の増大につながっていた。古代から近代にいたるまで、最高軍司令官としての王が乗るべき動物は馬こそふさわしいと考えられ、シュルギ王が自らを馬になぞらえたことはこうした考え方の最古の例になるだろう。

また、同王朝第四代シュ・シン王（前二〇三七－二〇二九年頃）から第五代イッビ・シン王（前二〇二八－二〇〇四年頃）の治世にかけて書記（役人）であったアブバカルラの印章印影図には、長い尾やふさふさしたたてがみから馬と推定されている動物に人間が跨《またが》っていて、これは最古の乗馬の図ともいわれている。

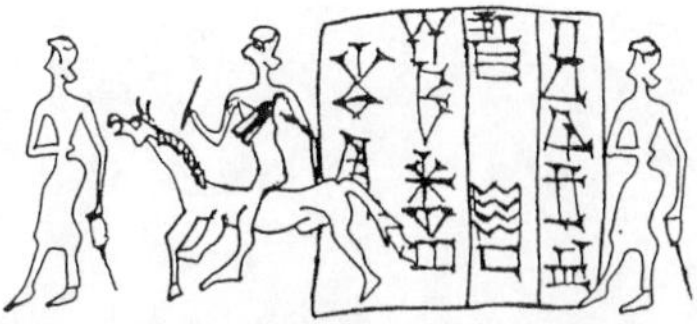
書記アブバカルラの印章印影図

### 死骸の塚

さて、「戦争の場面」下段、駆け足のオナガーの下に敵の死骸《しがい》がある。左から二両目の戦車の下にある死骸には、肩と腰に波線があって、これは負傷を示している。都市国家間の戦争では自国領が戦場になることはおおいにありえたので、死骸はそのままにしておかず埋葬した。敵の死骸といえども埋葬したが、人道的見地から埋葬したということではなく、古代世界に生きるシュメル人は死霊が跋扈《ばっこ》することを恐れたためともいわれている。後で紹介する「エアンナトゥム王の戦勝碑」上から三段目の断片には、左に死骸の山が、右下に犠牲の牛が見え、戦死者を供養する場面である。

「その死骸三六〇〇を剣で数えた」と「エアンナトゥム王の戦勝碑」には書かれている。エアンナトゥム王の別の王碑文には「ウンマ市（の兵士たち）を武器で倒し、死骸の塚を二〇築いた」、またエンメテナ王の王碑文には「死骸がエディン（＝平原）に残され、死骸の塚を五カ所に築いた」と書かれていることからわかるように、死骸をそのままにしておかず、埋葬している。

戦車　「戦争の場面」下段

**弓兵はいなかった？**

古代オリエントの戦車といえば、たとえば新アッシリア帝国（前一〇〇〇頃－六〇九年）の浮彫図像では戦車に乗って弓を引いているが、「戦争の場面」下段に見える戦車では弓は使わず、槍を投げている。戦車前方の箙には四本の槍を備えてある。

「ウルのスタンダード」「エアンナトゥム王の戦勝碑」ともに弓兵の図像はないが、シュメル人が弓を知らなかったのではない。ウルク文化期（前三五〇〇－三一〇〇年頃）後期の円筒印章印影図には弓を使う王や人々が表現されている。そこでは、王が弓を使ってライオンや牛を倒す、あるいは敵を射る姿が表現されている。

「エアンナトゥム王の戦勝碑」には「エアンナトゥム王に人（＝ウンマ兵）が矢を射た」と書かれている。また戦車に乗ったエアンナトゥム王は槍を振り上げているが、戦車前方の箙にはいっているものは王が手にしている槍よりも細いので、矢であったかもしれない。

都市国家間の戦争は一般に接近戦であったので弓は不向きだともいわれている。また、我が国で武士を「弓矢取るもの」といったように、弓はかなり鍛錬しないと使えない武器であって、平時はおもに灌漑労働をおこない、戦争になると徴兵された俄《にわ》かごしらえの兵士たちが簡単に使える武器ではなかった。このあたりの理由によって、弓兵が表現されなかったのではないだろうか。

## 裸足の兵士

兵士たち　「戦争の場面」中段

「戦争の場面」中段左では、八人の兵士が進軍している。頭をスッポリ覆う冑をかぶって、体は円形の鋲《びょう》を打った革製のマントで覆っている。腰には平時にも巻いているカウナケスが見えるが、手には手《て》斧《おの》を握っている。足に履物はない。初期王朝時代のシュメルの丸彫像、浮彫の図像、円筒印章の図柄のいずれでも、神も人も履物ははいていない。沖積平野で石がなく、履物は必要がなかったともいわれているが、シュメルにも履物はあった。シュメル語に「サンダル」を意味するエシルの語があり、革を素材にしていて、足に紐で結びつける形であったようだ。

後で話すアッカド王朝時代（前二三三四—二一五四年頃）の「ナラム・シン王の戦勝碑」では、第四代ナラム・シン王（前二二五四—二二一八年頃）はサンダルをはいている。この碑は険しいザグロス山脈に遠征したさいの記録なので、履物が必要であったともいう。

中段中央から右は破損していてやや見にくい。中央には、敵を捕まえている三人の兵士、その右には捕まった七人（あるいは八人）の敵兵がいる。敵兵の頭に冑はなく、ウル市の兵士たちとはちがう、前であわせる腰衣を巻き、右端の敵兵は武器を離してはいないが、胸と頭に負傷していて、ほかの敵兵も傷ついている。

## 王の務め

「戦争の場面」上段の中央から右にかけても破損していて見にくい。中央の大きい人物はウル市の王であるが、欠損していて装束が不明である。初期王朝時代シュメル都市国家における王の称号はルガル（「大きい人」の意味）、エン（「主人」の意味）そしてエンシの三種類ある。これらの称号については研究者たちが盛んに論じたが王権のありようのちがいなどを示すのではなく、それぞれの都市の伝統などにしたがって使用されていたようだ。

しかし、この雑然とした状況はウンマ市のルガルザゲシ王がウンマから伝統のあるウルク市に移り、シュメルの覇権を固める段階で変化する。この王が「国土の王（ルガル－カラム－マ）」を称したときから、各都市の支配者はエンシを、ルガルは「全土の王」あるいはそれを自任する者の称号に変わっていった。

王の背後には右手で手斧を持ち、左手で杖を持つ三人の高官たちが控えている。王の面前には身ぐるみはがされて、傷ついたまま連行されてくる捕虜たちがいる。この「捕虜連行図」こそ、勝利を実感する場面であり、顔が欠損しているが、王はさぞ晴れやかな表情を浮かべていたにちがいない。

「ウルのスタンダード」の「饗宴の場面」「戦争の場面」ともに、主役は上段でひときわ大きく表現されている王である。都市国家に豊饒をもたらし、戦争に勝つことはともにシュメルの王にとって大切な務めであったことを、両場面を通して表している。

だが、この二つの務めはシュメルの王に限らず、現代の政治指導者にも通じることである。つまり、自国民を敵の襲撃から守って勝利に導き、豊饒つまり自国民を飢えさせず豊かな安定した生活をさせることは、いつでもどこでも政治指導者に求められていることである。シュメルの王はこうした為政者として心がけるべきことを、声高にスローガンとして叫ぶのではなく、美しいモザイクで表現した。文化的に洗練された王とほめるべきであろう。

## 王碑文の役割

### 王の宣伝文

王碑文は王の功業を記録し、誇示することを目的としていた。そこで、シュメルの王碑文は今日の資本主義社会では欠かせない、「宣伝文」の元祖ともみなされている。現在最古の王碑文はカファジェから出土した、初期王朝時代第Ⅱ期に属す「メバラシ、キシュ市のルガル（＝王）」と書かれた王碑文である。

王の功業とはなにかといえば、神々のための神殿建立、神像制作、物品奉献などである。王碑文は粘土板、粘土釘、煉瓦《れんが》、軸承石《じくうけいし》などに書かれ、「A神のために、B王がC神殿を建てた」といった同一内容の王碑文が複数残存している。

また、王碑文には歴史的記録が含まれたものもあり、初期王朝時代第ⅢB期ラガシュ市の王碑文には長期にわたるウンマ市との戦争が、「正義はラガシュ市にあり」といった視点で記録されている。一方のウンマ市の王碑文はわずかしか残存しておらず、ウンマ市から見たラガシュ市との戦争の記録は現時点ではない。

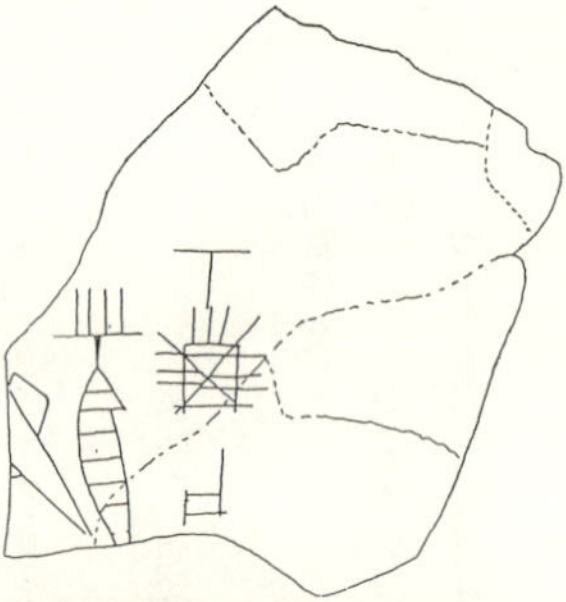

（上）「メバラシ、キシュ市の王」
（下）手前下方が軸承石
（イスタンブル考古学博物館蔵）

王碑文は王の自叙伝ではない。三人称で書かれていることから、王は書記に書かせたにちがいない。王は誰に読んでもらうために書かせたのだろうか。当時の識字率はそう高くはないだろうし、碑文冒頭には神の名前が挙げられていることが多いことから、まずは神々に王の功業を報告し、次に当代および後代の人々を意識して書かせたようだ。

次節で紹介するエンメテナ王の王碑文は二柱の神々に神殿を建立したことをまず報告したかったようだが、王碑文後半に書かれている内容は歴史的記録で、こちらの方が現代の研究者にとっては重要である。次にその一例を見てみよう。

「兄弟同盟」を記した粘土製の釘（先端が破損）

### 贈り物外交

戦争は外交が破綻《はたん》した結果であるという。外交交渉が成功していれば、なにも武力に訴えることはない。初期王朝時代第ⅢB期ラガシュ市のウルナンシェ王朝第五代エンメテナ王はウルク市の王と兄弟関係の同盟を結んで南方での脅威を取り除いた。これは世界最古の外交文書にして同盟の記録であり、粘土釘の周囲に次のように刻んだ。

　イナンナ女神に、ルガルエムシュ神に、ラガシュ市のエンシ（＝王）、エンメテナは彼らの愛する家、エムシュ神殿を建てた。粘土の釘を打ち込んだ。

　エンメテナ、エムシュを建てし者、彼の（個人）神はシュルウトゥル神(である)。そのときラガシュ市のエンシ、エンメテナはウルク市のエンシ、ルガルキニシェドゥドゥと兄弟関係を結んだ。

この王碑文は粘土釘に刻まれ、神殿の壁面などに多数打ち込まれていたようだ。ほぼ同一内容を刻んだ粘土釘が現在三〇本以上も発見されている。

また、外交となると、王家の女性も活躍した。后妃は王の役割を補佐した。ラガシュ市では、后妃は祭祀《さいし》を司り、外国との外交、通商もおこなっていた。

后妃は「エミ」(字義通りには「女の家」だが、後宮ではないので、「后妃の家」と訳されている)を持っていた。エミは后妃の宮殿とそれに所属する倉庫や、さらに広くは后妃が管理する所帯全体を指す。このエミの行政経済文書、つまり会計簿がウルナンシェ王朝終焉後のエンエンタルジ王以下三代、約二〇年間にわたり二〇〇〇枚ほど残っていて、そのなかに、ルガルアンダ王(エンエンタルジの子)の后妃バルナムタルラがアダブ市(現代名ビスマヤ)の王の后妃ニンアグリグティと贈り物を交換した記録がはいっていた。

すでに一回目の贈り物の交換がなされたあとで、碑文はその後の二回目の贈り物の交換を記録しているが、后妃同士だけでなく、使者にも贈り物が贈られている。

成熟した牝の家畜のろば一〇頭、黄楊《つげ》の足置き台一台、小さな黄楊のピン一本、小さな……象牙のピン一本、アダブ市のエンシ(=王)の妻、ニンアグリグティがラガシュ市のエンシ、ルガルアンダの妻、バルナムタルラに二度目の贈り物をした。

彼女の使者、アネダヌメアがマルガスに同行し、持参した。

エバアン風の極上服一着をニンアグリグティがマルガ（ス）に与えた。

二マナのアエンダ（銅）のインゴット、五マナの錫《すず》と青銅をラガシュ市のエンシ、ルガルアンダの妻、バルナムタルラが二度目にアダブ市のエンシの妻、ニンアグリグティに贈り物をした。マルガ（ス）が同行した。

ある種の服一着、別種の女性用の服一着、香油一壺をバルナムタルラが（使者の）アネダヌメアに与えた。

（ルガルアンダ）治世三年
（一マナ＝約五〇〇グラム）


アダブ市は、ラガシュ市と長期にわたって敵対関係にあったウンマ市の北方に位置する。ラガシュ、ウンマ両市の国境を調停したキシュ市のメシリム王の王碑文がラガシュ、アダブ両市で出土していることから、両市はメシリム王の宗主権を認めていたといわれている。

さらに両市はキシュ市を後ろ盾として、ウンマ市に対して外交的優位を確保するために協力関係にあったようだ。詳細な記録は残っていないが、贈り物を交換した理由はラガシュ、アダブ両市の友好を深めることを意図したものであろう。

「エバアン風の極上服」がどのような衣服かはわからない。行政経済文書のなかにも神々に奉献するさまざまな種類の衣服の名前が挙げられているが、具体的な衣服の形は伝わっていない。

衣服の素材としては羊毛のほかに、亜麻《あま》がある。シュメルの神話に「農耕か、牧畜か」二者択一を迫られるイナンナ女神が登場する神話『ドゥムジ神とエンキムドゥ神――牧畜神と農耕神の論争』がある。この神話のなかでは、栽培された亜麻が、亜麻布にされ、裁断されるまでの過程が書かれている。また、円筒印章の図柄のなかには糸を紡ぐ、織機に縦糸を張って準備する図、機織り、出来上がった織物をたたむ場面などがある。

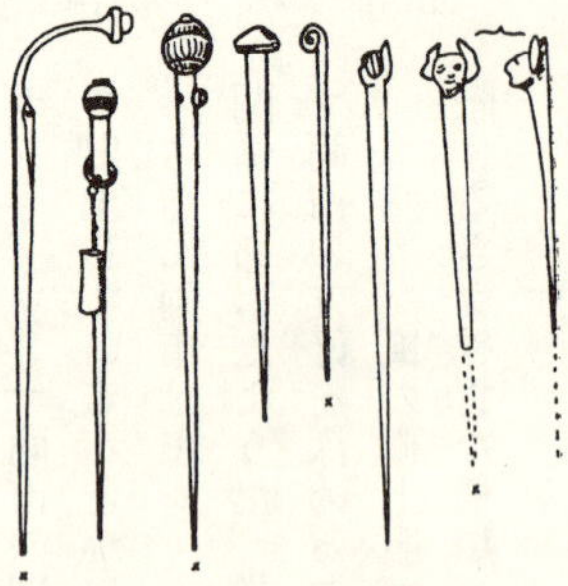

さまざまな種類のピン
ウル市、キシュ市出土

また、シュメルのみならず、古代世界にはボタンやファスナーはない。そこで、人々は身体に布を巻きつけるように着て、ピンで留めた。ピンは糸を通してからげる縫い針のような形、待針のようなピンとさまざまな形があり、ショールを留めて、ピンに円筒印章をぶら下げたりもしたようだ。ピンは必需品であって、古代オリエント各地の遺跡からさまざまなピンが出土している。

## 最古の戦争記録「エアンナトゥム王の戦勝碑」

**「エアンナトゥム王の戦勝碑」**

「ウルのスタンダード」に描かれている「戦争の場面」が具体的な戦争に基づいていたかはわ

からないが、実際にあった戦争を浮彫の図像とシュメル語楔形文字で記録したのが「エアンナトゥム王の戦勝碑」、通称「禿鷹《はげたか》の碑」（禿鷹は俗称、正しくは禿鷲）である。

「エアンナトゥム王の戦勝碑」
（左）人間たちの戦い
（右）神々の戦い

シュメル人はシュメル語楔形文字で記録を残した人々だが、シュメル語の正字法はラガシュ市ウルナンシェ王朝第三代エアンナトゥム王の頃までには整い、最古の歴史的記録「エアンナトゥム王の戦勝碑」などが残された。

「エアンナトゥム王の戦勝碑」の内容はラガシュ市とウンマ市の戦争の記録である。ド・サルゼックがテルローで石灰岩製の七つの断片を発見し、現在はルーヴル美術館に収蔵されている。厚さは一一センチメートルあり、完全であれば高さは約一・八メートル、幅は約一・三メートルあったと推測されている。頭頂部が半円で、下部は長方形で幾段かに仕切られ、浮彫で図像が刻まれるシュメルにおける碑の形式を踏まえていて、浮彫の背景にシュメル語碑文が刻まれている。

## 神々の戦争

「エアンナトゥム王の戦勝碑」の一面は「神々の戦い」の様子を描いている。

シュメルでは、現実には人間の王が支配していても、理念上は都市を守護する最高神つまり都市神こそが都市国家の「真の王」であって、都市国家間の戦争は都市神同士の戦争であると考えられていた。ラガシュ市の都市神はニンギルス神、ウンマ市の都市神はシャラ神であった。となれば、両都市神は先頭に立って戦わねばならない。

ニンギルス神

「神々の戦い」の場面では、後頭部に髪を束ね、長い顎鬚《あごひげ》をはやした大きい男性像が刻まれている。頭頂部が欠損しているので、冠の有無を確認できないが、シュメルでは神は角のある冠をかぶる姿で表現されるのが常で、背後にはこの像よりも背が低い、冠をかぶった神像が刻まれていることからも、この大きい像も神であり、ラガシュ市の都市神ニンギルス神であることがわかる。右手に棍棒《こんぼう》、左手に霊鳥アンズーを握り、神像の右下には網にかかった敵のウンマ兵の死骸がある。ニンギルス神がラガシュ市のために戦っている姿である。

## 戦う人々

もう一面は人間たちの戦いの場面である。石碑頭頂部付近の断片には猛禽《もうきん》類が剃髪されたウンマ兵の首をぶら下げているか、あるいは啄《ついば》んでいる場面が描かれ、これが「禿鷹（正しくは禿鷲）の碑」の通称の由来となった。

その左下断片には顔面が欠落した男性が立っている。前方は欠損しているが、「ウル王墓」から出土した黄金製冑と同じ髷を結った形の冑をかぶっていることから、最高軍司令官として先頭に立つエアンナトゥム王であろう。

司令官であるエアンナトゥム王は一人敵に立ち向かっているが、兵士たちは個別に戦ってはいないようだ。王の背後の兵士たちは冑をかぶり、前面に四人の矩形《くけい》の楯《たて》を手にした「楯兵」、槍を前方に突き出した四列六縦隊の「槍兵」そして副隊長と彼の護衛である「楯兵」から成る合計三〇人の密集戦団（ファランクス）が続いている。兵士たちの足下には裸のウンマ兵の死骸が横たわっている。

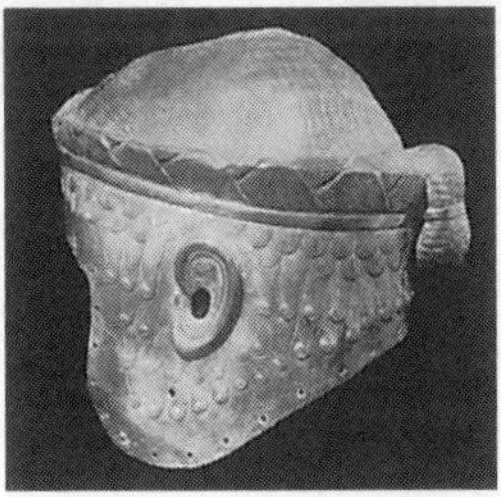

(上)ウンマ兵の首と猛禽類
(下)黄金製冑　ウル王墓出土

## 徴兵の記録

「エアンナトゥム王の戦勝碑」に表現されている兵士の集団は古代ギリシアのポリス社会における重装歩兵の密集戦団に先駆ける存在であるが、武装自弁のポリス社会とはちがい、シュメルでは王が武器を与えた記録が残っている。

また、エアンナトゥム王から六代後のウルイニムギナ王の治世におこなわれた徴兵の記録があり、次のように総括されている。

総計一五五人、槍兵である。一二人、楯兵である。バウ女神所有の人、
ウルイニムギナ、ラガシュ市のルガル（＝王）が王宮で閲兵した。

ウルイニムギナ治世六年におけるウンマ市との戦争のさいに、后妃の組織に所属する集団から一六七人を徴兵した記録である。八名の小隊長が率いる八小隊の編成で、王宮においてウルイニムギナが閲兵したことが記されている。その第一隊は小隊長を含む二六人が「槍兵」、六人が「楯兵」であった。四列六縦隊の二四「槍兵」、隊列前面で彼らを守る四「楯兵」、隊長と副隊長（「槍兵」に分類される）および彼らを護衛する二「楯兵」の合計三二人が本来の「密集戦団」を構成していたのである。

密集戦団

これに対して、「エアンナトゥム王の戦勝碑」が三〇人から成る「密集戦団」であるのは、

一人前面に立つエアンナトゥム王が隊長であるから、この集団に隊長はいないことになり、また王を護衛する「楯兵」も不必要だから三〇人だという説もある。

### 武王エアンナトゥム

エアンナトゥム王はラガシュ市の王であるが、「キシュ市の王」の称号を持つ武勇に長《た》けた王であった。南部のウルク市やラガシュ市などの覇者たらんとする王たちのなかには「キシュ市の王」を称した王たちがいた。北部の有力都市キシュまでもが自らの威光の下にあることを誇示しようとしたのである。

「エアンナトゥム王の戦勝碑」は欠損部分が多く、全体像がわかりにくいので、エアンナトゥム王の別のよく残っている王碑文を紹介しよう。まず、王は「エンリル神が名前を選びし者、ニンギルス神が力を与えし者……」のように神々からさまざまな恩寵を得たことを長々と強調している。この後に、エアンナトゥム王の戦いぶりを次のように列挙している。

エアンナトゥムは驚くべき山、エラムを武器で倒した。その死骸の塚を築いた。ウルア市の旗章とその先頭に立つエンシ（＝王）を武器で倒した。その死骸の塚を築いた。ウンマ市を武器で倒した。その死骸の塚を二〇築いた。ニンギルス神のために彼の愛する耕地グエディンナを取り戻した。ウルク市を武器で倒した。ウル市を武器で倒した。キウトゥ市を武器で倒した。ウルアズ市を征服した。そのエンシを殺害した。

この後は省略するが、グエディンナとは「エディンの首」を意味し、肥沃な耕地であった。このエディンの地名が『旧約聖書』に書かれている「エデンの園」のモデルともいわれるが、シュメル語のエディンは「草原」「平原」「荒野」などを指す。

エアンナトゥム王は、この碑文に見られるようにウンマ市だけでなく、諸都市とよく戦った王であるが、その最期はわからない。後継者は息子ではなく、兄弟のエンアンナトゥム一世であった。

## ウンマ市との長い戦争

エンアンナトゥム一世の子で、後継者となったエンメテナ王はラガシュ市とウンマ市の国境争いを回顧した王碑文を残した。要約すると次のようになる。

昔、キシュ市のメシリム王の調停によってラガシュ市とウンマ市の国境は画定し、境界石が立てられていた。ところが、ウンマ市のウシュ王が境界石を壊してラガシュのエディンに攻め込んで来た。これをラガシュはよく食い止め、ウンマ兵の死骸の山を築いた。その結果、エアンナトゥム王はウンマのエンアカルレ王との間に国境を定め、メシリム王の定めた境界石を元に戻した。

ウンマの人はラガシュの大麦を借りたが、利子が膨大な量となって返せなくなったために、ウンマのウルルンマ王は国境の運河から勝手に水を引き、境界石を壊し、境界を守る神々の聖堂を破壊した。しかも、いくつかの都市がウルルンマに加担し、国境の運河を越えて攻め込んで来た。エンアンナトゥム一世はこの侵攻を受けて立って戦ったが、どうやら戦死したらしい。この非常時に跡を継いだエンメテナはよく奮戦し、父の仇《かたき》ウルルンマを敗走せしめた。ウルルンマ亡き後のウンマではイルが王となって、このイルとエンメテナは再度協定を結んだ。

以上のように、「非はウンマにあり」の視点から、エンメテナ王はウンマ市との長い戦争を回顧しているが、ウンマ市との戦争はエンメテナ王の治世以降もさらに続いた。

## ラガシュ市の滅亡

ラガシュ市とウンマ市との間の長い戦争に決着をつけたのはウンマ市のルガルザゲシ王の登場で、この王は強かった。ウルイニムギナ王治世七年に、ついにルガルザゲシが国境の運河を越えてラガシュ市に攻め込んできた。

この侵攻過程を書いた特異な王碑文があり、ラガシュ市の諸神殿に対してウンマ軍が放火、破壊、略奪そして殺戮《さつりく》を繰り返したことが書かれている。

ウンマの人が国境の運河で火を放ち、アンタスルラ神殿で火を放ち、黄金（一説には貴金属）とラピスラズリを持ち去った。ティラシュ大神殿で殺戮した。アブズバンダ神殿で殺戮した。エンリル神の聖堂で、ウトゥ神の聖堂で殺戮した。アフシュ神殿で殺戮し、黄金とラピスラズリを持ち去った。（中略）ガトゥムドゥグ女神の神殿に火を放ち、黄金とラピスラズリを持ち去った。その彫像群を打ち砕いた。（中略）ウンマの人はラガシュ市を破壊してしまい、ニンギルス神に対して罪を犯した。その勝利に呪《のろ》いあれ。罪はギルスのルガル（＝王）、ウルイニムギナにはない。ウンマ市のエンシ（＝王）、ルガルザゲシ、彼の（個人）神ニサバ女神はまさにその罪を彼女の首にかけるように。

最後は恨み節であり、責任転嫁である。ラガシュ市滅亡の責任はギルスつまりラガシュ王であるウルイニムギナにはなく、敵のルガルザゲシと彼の個人神であるニサバ女神にあるのだと非難して締めくくっている。

ラガシュ市を滅ぼしたものの、勝者ルガルザゲシ王は結局シュメル統一の夢は果たせずに、アッカド人サルゴン王に屈した。一方、敗者ウルイニムギナ王はどうなったかといえば、一説によれば、ルガルザゲシの攻撃から逃れて、アッカド王家と手を結んだともいわれている。そしてラガシュ市は約二〇〇年後のグデア王の時代に再度繁栄する。

初期王朝時代ラガシュ市の滅亡まで話が進んでしまったが、次章ではラガシュ滅亡時に打ち砕かれた彫像群から話を始めよう。

# 第五章
# 「母に子を戻す」
## 「徳政」と法の起源

エンメテナ王立像
　首なしの像であるが、誰の像かわかっている。初期王朝時代の祈願者像（または礼拝者像ともいう）は碑文を刻むときには背から腕にかけて刻んだ。像の右腕のあたりを見てほしい。シュメル語の碑文が刻まれているのがわかる。背中にもシュメル語の碑文がはいっている。碑文からこの像はラガシュ市のエンメテナ王の像であることがわかる。もし首があったならば、剃髪していて、その表情は思慮深く、柔和であったにちがいない。本章ではエンメテナ王がなかなかの名君であったことを話そうと思う。
　閃緑岩製、ウル市出土、前25世紀頃、高さ76㎝、イラク博物館蔵

祈る王

祈願者像

丸彫の人体彫刻といえば、その筆頭にまず古代ギリシアの彫刻が挙げられる。端整にして、精神的な深みのあるギリシア彫刻は、西洋美術において一貫して美の基準であり続けている。ギリシア人は石材に人体を彫る技法を古代エジプトから学んだといわれ、最初はクーロス（ギリシア語で「青年」の意味）と呼ばれる青年の裸像が作られた。なぜ青年の裸像を作ったかといえば、神殿に奉献するためである。美しい青年の裸像は、神が嘉納《かのう》したまうものであると考えられていた。男性優位のギリシア社会ならではの考え方である。

さて、シュメルでも石製のあまり大きくない、丸彫の人体像が神殿に納められていた。こうした像は祈願者像あるいは礼拝者像と呼ばれている。立像と座像があって、古代ギリシアの男性像のように完全な裸体ではなく、着衣の像である。女性像は胸を露《あらわ》にすることはなく長い衣服を着ている。

男性像は、羊毛の房が舌状になったカウナケスと呼ばれる腰衣を巻いている。よく見るとカウナケスにはさまざまな表現があって全く同一ではない。また、男性像には頭髪のある像、ひげをはやした像もあって、必ずしも剃髪してひげのない像ばかりではない。

世俗の人間は忙しく、神殿にばかり出かけることはできない。そこで人間に代わって神に祈願をする石像を作った。これが祈願者像である。これらの像は、神の前での敬虔《けいけん》さを共通して持ち、像の多くは神への敬虔、服従を示すために両手を胸の前で組み、静謐《せいひつ》な、穏やかな像である。写実的とはいいがたいが、個性はあり、祈る人の理想像を表しているといえよう。像はときには名前がつけられ、祈願の碑文を刻んで神殿に納めた。発掘によって多数出土した祈願者像はシュメル美術の代表である。

初期王朝時代第ⅢB期（前二五〇〇－二三三五年頃）には、人間は直接大神に祈願するのではなく、それぞれの人間が固有に持つ個人神（個人の守護神、第八章参照）の紹介を得て、大神に

**(上)一群の祈願者像**　テル・アスマルのアブ神の神殿、奉献物安置所から出土（イラク博物館とシカゴ大学オリエント研究所博物館に分蔵）

**(下)神とよく間違われる男女の像**　女性の足下に子供の足が残っている（イラク博物館蔵）

祈願できた。ラガシュ市滅亡時に、神殿で破壊された彫像群はこれらの祈願者像であった。

ディヤラ河流域のエシュヌンナ市（現代名テル・アスマル）からは多数の祈願者像が出土し、シカゴ大学オリエント研究所とイラク博物館に分けて収蔵されていたが、イラク博物館の像は「イラク戦争」後に略奪されたようである。なかでもひときわ大きな男性像（石膏、高さ七二センチメートル）と女性像（石膏、高さ五九センチメートル）は大きな象嵌《ぞうがん》された目が特徴である。神々の像と間違われて紹介されていることがしばしばあるが、人間の像であり、女性の足下には子供の足が残っている。

**ラムギ・マリ王の像**　背中から腕にかけて刻まれたアッカド語王碑文から、像が出土したテル・ハリリ遺跡がマリ市と特定できた（アレッポ博物館蔵）

祈願者像のほとんどの像が両足を揃えているが、ユーフラテス河中流域のマリ市（現代名テル・ハリリ）から出土したラムギ・マリ王の像のように左足を前に出した像も見られ、これはエジプトの影響ともいわれている。

### 流浪のエンメテナ王立像

ラガシュ市ウルナンシェ王朝第五代エンメテナ王の立像は、ウル遺跡の新バビロニア時代

（前六二五—五三九年）の地層から首が欠けた状態で発見された。閃緑岩製で、高さが七六センチメートルもあり、これで頭部があったらかなり大きい像になる。沖積平野のシュメルに石材はなく、これだけの大きさの像を彫る石は当然輸入品であり、高価であった。胸の前で手を組み、舌状の羊毛の房をていねいに刻んだカウナケスを巻いている。

エンメテナ王の像には背中から腕にかけて王碑文が刻まれている。その一部を紹介する。

そのときエンメテナは彼の像を作り、「エンリル神が愛するエンメテナ」と名づけ、エンリル神のために、神殿へ持参した。エンメテナ、エアドダ神殿を建てし者。彼の（個人）神シュルウトゥル神はエンメテナの生命のためにに永遠にエンリル神に向かって鼻に手を置く（＝祈る）べし。

この碑文によれば、エンメテナは長寿祈願を目的としてラガシュ市にあったエンリル神を祀ったエアドダ神殿に像を納めていた。だが、時期は不明だが、この像はなにものかによってラガシュ市から持ち出され、新バビロニア時代にはなぜかウル市にあったのである。

二〇〇三年に「イラク戦争」でバグダードが米軍によって陥落させられた後に、イラク博物館が略奪されて、テル・アスマル遺跡から出土した像とともに、エンメテナ王立像も姿を消した。いつの日か本物の平和がイラクに訪れたときには、イラク博物館が流浪のエンメテナ王立像の永遠の住まいになっているように祈りたい。

さて、自らの立像を神殿に納めたエンメテナ王は父王エンアンナトゥム一世の戦死によって

**エンアンナトゥム王**
多分エンメテナ王の父、1世の方で、顔の前に「エンアンナトゥム、ラガシュ市のエンシ(＝王)」と書かれているが、エアンナトゥムとしばしば間違われている
(大英博物館蔵)

王位を継承したことは前章で話した。エンメテナの王碑文は約一〇〇点残っている。同一内容の碑文も多いが、興味深い内容の碑文がいくつかある。第一に長く続くウンマ市との戦争を回顧した王碑文があり、第二にウルク市のルガルキニシェドゥドゥ王と同盟を結んだ、「最古の同盟」締結の記録もあって、これらは前章で紹介した。第三にエンメテナはわかっている限りで、最古の「徳政」をおこなった王でもあった。以下では、シュメルの「徳政」について紹介しよう。

初期王朝時代の王の務めは、前章で紹介したように、まず、戦争での勝利、つまり外部からの攻撃に対して自らの都市国家を守ることであり、一方内政については豊饒と、さらに安定を維持することであった。安定を維持するためには、神々の定めた秩序を維持し、弱者救済に努めて、市民へ「自由」を付与することが王に求められた。エンメテナ王は王としての二つの大きな責務を果たした王であって、名君といえる。どのような顔をしていたか見たいところだが、像に首はなく、まことに残念である。

## 世界最古の「徳政」

### 「徳政」

中国では『論語』「季氏篇」に「国を有《も》ち家を有つ者は、寡《すく》なきを患《うれ》へずして、均《ひと》しからざるを患ふ。貧しきを患へずして安からざるを患ふ」とある。『論語』は古来研究者によりさまざまな解釈が出されているが、中国史の市古宙三先生は「貧しきを患へずして安からざるを患ふ」を「国は貧乏であっても、そんなことは心配する必要はない。問題は、国内において物が平等に分配されているかどうかということであって、もし平等に分配されないとしたら、それこそたいへんだ」と孔子が為政者に教えたと解釈している。

このように社会的安定を求める思想が古来あった。中国だけでなく、安定した社会が成立する条件の一つとして、その社会を構成する人々の貧富の差が大きくないことが挙げられる。貧富の差が拡大すると社会不安を招き、政権崩壊にもつながりうるので、貧富の差の拡大を防ぐために為政者はしばしば原状回復を試みた。「徳政」もその一つである。

「徳政」は一般的には「徳のある政治」の意味だが、債権破棄や売却地の取り戻しなども指す。日本でも「永仁《えいにん》の徳政令」（一二九七年）は名高い。これは元寇《げんこう》後に疲弊した御家人《ごけにん》を救済するために鎌倉幕府が発布した法令で、御家人所領の売却や入質《いれじち》などを禁止し、すでに売却、入質した所領の取り戻しを認めるなどが規定された。

また、古代ギリシアのアテネ市において、ソロンがおこなった「重荷おろし」（前五九四年）といわれる政策も、ポリス社会の分解をくいとめるために、債務奴隷に身を落とした市民を救済する政策、つまりギリシア版「徳政」であった。

こうした政策は弱者救済を意図した人道的政策の面は否定できないものの、同時にこうした人々を放っておくと市民の階層分化などを招くため、政権が揺らぎかねず、政権強化のためにおこなわれた政策でもあった。

### 奴隷がいた社会

それでは、シュメルの階層はどうであったのだろうか。厳格ではなかったが、シュメル社会は身分制社会であり、奴隷がいた。奴隷はその所属で分ければ、個人の家で働く家内奴隷と神殿、宮殿などの組織に所属する公的奴隷がいた。また、その出自からは四つに分けられる。

まず、市民が負債を負った結果として落ちる「債務奴隷」がいた。同一社会の市民が、たとえばある日突然隣人が奴隷に落ちてしまうことが起きたのである。このような債務奴隷が増えることは社会にとって好ましいことではない。現代でもサラリーマン金融から多額な借金をして、夜逃げをしたり、自己破産する人がいるが、この種の人々の先例といえるかもしれない。

次に、犯罪を犯した罰として落とされた「犯罪奴隷」が挙げられる。この場合には、罪を犯した本人が奴隷にされるほかに、罪人の妻子が奴隷とされることもあった。
ウル第三王朝時代（前二一一二―二〇〇四年頃）に出された次のような「判決文」がある。

判決文。

漁師ウルメシュの妻パパ、その娘メメムおよびウルメシュの女奴隷ゲメギグンナは、ウルメシュが強盗を働いたので、漁師シュルギルガル、ルガルイマフおよびルマグラに女奴隷として与えられた。（略）

三人の女性たちを与えられた三人の男性たちは多分被害者であった。ところで、強盗をしたウルメシュはどうなったかといえば、多分『ウルナンム「法典」』第二条（後述）にしたがって死罪に処せられたと思われる。

**最古の捕虜の図**　ウルク市出土円筒印章印影図、前4000年紀後半

また、外国から商人によって買われて来た「購入奴隷」もいた。初期王朝時代第ⅢB期末期のラガシュ市では、エラムから銀を払って買って来た奴隷が后妃の組織（エミ）に園丁として入れられたこともあった。

さらに、戦争に敗北したために奴隷にされた「捕虜奴隷」がいた。現代は、戦争があっても捕虜の人権に一定の配慮がなされている。だが、近代以前の社会にあっては戦争で負ければ、過酷な運命が待っていた。戦争捕虜の男性は反乱を起こすことを恐れて殺され、女性たちは捕虜として敵国に連れて行かれたが、彼女たちに男の子がいた場合には問題であったことを「アマルク（ド）」という言葉が表している。

第二章でも話したようにシュメルでは農民も家畜を飼い、また周辺の荒野には遊牧民がいて、家畜の去勢は古くからおこなわれていた。その技術が人間の去勢へと展開したようだ。アマルク（ド）という語は本来「去勢された若い牛（若い大型動物）」を意味したが、ウル第三王朝時代のラガシュ市から出土した文書では、若い成人男性や少年にもアマルク（ド）の語が使用されていて、「去勢された若者」を意味した。戦争捕虜として連れて来られ、羊毛紡《つむ》ぎなどをさせられた女性たちの息子が将来反乱を起こしたり、逃亡したりすることを前もって防ぐために去勢されたようだ。

古代社会はともすれば夢とロマンだけで語られてしまうことが多いが、人権を無視され、厳しい生活を強いられた人々が少なくなかった。

## 「母に子を戻す」

次に紹介するエンメテナの王碑文は市民に「自由」アマギを与えたことを伝えている。アマギは字義通りには「母」アマに子を「戻す」ギであることから、本来あるべき姿に戻すことを意味するので、「自由」と翻訳されている。この碑文は世界最古の「徳政」を表したものとされる。以下にその王碑文の一部を引用する。

ラガシュ市に自由を確立した。母を子に戻し、子を母に戻した。債務からの自由を与えた。

そのときエンメテナはルガルエムシュ神のために バドティビラ市に彼の愛する神殿、エムシュ神殿を建て、再建した。ウルク市の子(=市民、以下同じ)、ラルサ市の子、バドティビラ市の子の自由を確立した。イナンナ女神にウルク市を返し、ウトゥ神にラルサ市を返し、ルガルエムシュ神にエムシュを返した。

エンメテナ、イナンナ女神の言葉に従順な者、彼の(個人)神はシュルウトゥル神である。

この王碑文が示すように、エンメテナ王は神殿落慶の慶事に奴隷解放をおこなっていた。また、初期王朝時代ラガシュ市の最後の王であったウルイニムギナ王の王碑文にも「ギルス(つまりラガシュ)の王権を授かったとき、その自由を確立した」と、即位の慶事にさいしても奴隷解放がおこなわれたことが、書かれている。

さらに、前二二世紀頃にラガシュ市を支配したグデア王は、ラガシュ市の都市神であるニンギルス神を祀ったエニンヌ神殿落慶を祝賀して一時的な奴隷解放をおこなった。

彼の主人(=ニンギルス神)が神殿に入った日から七日間、女奴隷は女主人と同等であり、男奴隷はその主人と並んで立った。

「徳政」は『旧約聖書』「レビ記」第二五章八―五四節などに見られる「ヨベルの年」につながっていく。「ヨベルの年」とは、七年ごとの安息の年を七回経た後の五〇年目の年のことで、この年には全耕地が休閑地とされ、売られた土地は戻され、負債は免除され、イスラエル人の奴隷になっていた者の解放が定められていた。

現代のサミットのような国際会議の場で、キリスト教が広く浸透している欧米先進国が、アフリカの発展途上国の負債を棒引きにしようといった発言が出る背景には「ヨベルの年」のような考え方があり、さかのぼればシュメル社会にいたるのである。

## ウルイニムギナ王の改革碑文

### ウルイニムギナ王の改革

「改革」「改革」と唱えて、政権の延命を図ることは今に始まったことではない。

ウルイニムギナ王は王権の簒奪《さんだつ》者であった。

ラガシュ市の王碑文のなかで、父が王であればそのことを明示する。たとえば、エンメテナ王ならば、「ラガシュ市のエンシ（＝王）、エンアンナトゥム（一世）の子」のように名乗るが、ウルイニムギナの王碑文には父の名前はなく、その前身は軍司令官であったようだ。

王権の簒奪者が自らの王権を正当化するために、前任者を罵《ののし》るのは常套《じょうとう》手段である。ウルイニムギナも前任者たち、つまりエンエンタルジ、ルガルアンダ父子の悪行を糾弾するために政治改革をおこなったと主張した。この主張はルーヴル美術館に収蔵されている粘土製円錐碑文

B、Cに刻まれていて、「ウルイニムギナ王の改革碑文」と呼ばれている。

### 前任者の悪行

「改革」はウルイニムギナ王の治世二年目に始まったようである。「改革碑文」は長文であって、なかには意味不明の箇所もあるが、前任者たちが神々の財産を横領し、役人たちが重い税をかけ、強者が弱者の財産をかすめとっていた様子を詳細に記している。その後でニンギルス神の命令によってウルイニムギナは横領された神々の財産を返還して、各種の税を軽減し、強者から弱者を守り、ラガシュ市に自由をもたらしたと記している。以下に前任者たちの横暴をこと細かく挙げる箇所の一部を紹介しよう。

大昔から、種が芽を出してから（＝最初から）その日まで、船頭（たち）は船をとり、牧人（たち）がろばをとり、牧人（たち）が羊をとった。魚の生簀《いけす》に漁師の管理人（たち）が横流しをした。

（中略）

死骸が墓に置かれた（とき）、彼のビール七壺、彼のパン四二〇個、ハジ大麦七二シラ、衣服一枚、先頭の山羊一頭、寝台一台を葬儀官が持って行っ

**ウルイニムギナ王の改革碑文**　2本の粘土製円錐に同一内容が記されている（ルーヴル美術館蔵）

た。三六シラの大麦を泣き男が持って行った。

「エンキ神の葦」(墓の一種)のなかに人が置かれた場合には、彼のビール七壺、彼のパン四二〇個、大麦七二シラ、衣服一枚、寝台一台、椅子一脚を葬儀官が持って行った。三六シラの大麦を泣き男が持って行った。

前任者の横暴が長々と列挙されている。埋葬時にも高い税を支払わねばならなかった。こうした状況をウルイニムギナ王は変えたのであるといっている。

## 改革後の善政

改革後についてはこの碑文は次のように書いている。

そのときにエンリル神の戦士、ニンギルス神がウルイニムギナにラガシュ市のルガル権(=王権)を与え、三万六〇〇〇人のなかに彼の権力を確立したときに、運命はそのときから定まった。彼(=ウルイニムギナ)のルガル(=王)、ニンギルス神が彼に語った言葉を実行した。

船から船頭(たち)を追放した。ろばから、羊からその牧人(たち)を追放した。魚の生簀から漁師の管理人(たち)を追放した。

(中略)

死骸が墓に置かれた(とき)、彼のビール三壺、彼のパン八〇個、寝台一台、先頭の山羊一頭を葬儀官が持って行く。一八シラの大麦を泣き男が持って行く。「エンキ神の葦」のなかに人が置かれた場合には、彼のビール四壺、彼のパン二四〇個、大麦三六シラを葬儀官が持って行く。一八シラの大麦を泣き男が持って行く。

ラガシュ市の市民、(つまり)負債で(苦しんで)生きている者、小作料未納の者、返却すべき大麦を負う者、盗人《ぬすっと》(や)殺人者たちを(ウルイニムギナは)彼らの牢獄《ろうごく》から解放し、彼らに自由をもたらした。孤児や未亡人を有力者は捕らえてはならない。ニンギルス神とウルイニムギナは契約を結んだ。

右の碑文では、悪しきことをおこなった者たちが追放され、埋葬時に納める税が軽減されている。

「負債で(苦しんで)生きている者、小作料未納の者、返却すべき大麦を負う者」とは債務奴隷、「盗人(や)殺人者たち」とは犯罪奴隷であり、この二種類の奴隷は同一社会の出身であるから解放の対象になっている。

なお、外国人である捕虜奴隷や購入奴隷の解放についてはどのようだったかよくわかっていない。

## 弱者の庇護

これまで見てきた碑文にも現れているように、王は債務奴隷を解放することと並んで、未亡人や孤児のような社会的弱者を庇護《ひご》することで、神々が定めた本来あるべき姿に都市を戻し、安定をもたらすことに努めた。

以下で紹介する『ウルナンム「法典」』序文のなかでも、「私（＝ウルナンム）は孤児を富める者に引き渡さない。私は未亡人を強き者に引き渡さない」と述べられている。

ところで、「改革」は民衆のためにおこなわれることも否定できないが、「改革」はときの王権の延命、強化のためにしばしばおこなわれる。その点で、王権を転覆させるための「革命」とは異なっていた。ウルイニムギナは「神による支配への復帰」というが、実際には自らの世俗王権の伸展が図られていた。

ウルイニムギナの改革は治世三年目には挫折《ざせつ》したようであり、五年目にはウンマ市のルガルザゲシ王の攻撃が激化し、七年目にはラガシュ市はついに敗北する。

## 最古の「法典」

### 『ウルナンム「法典」』

トルコ革命によって、一九二二年に消滅したオスマン（・トルコ）帝国は、イランを除いて、古代オリエント文明が栄えた地域を一六世紀以降ほとんど支配していた。このオスマン帝国の長期にわたる瓦解《がかい》の過程で、イギリス、フランス、ドイツなどの列強が帝国主義政策のもとに侵略し、発掘もおこなわれ、多くの粘土板文書が出土した。欧米の博物館や大学に膨大な数の粘土板が持ち出されたが、オスマン帝国の旧都イスタンブルにあるイスタンブル考古学博物館には粘土板文書が多数収蔵されている。その多くはいまだに未解読である。

さて、一九五二年に、イスタンブル考古学博物館に収蔵されていた粘土板写本の断片が、現存する最古の「法典」であることをシュメル学者クレーマーが発表した。これが『ウルナンム「法典」』であって、シュメル語で書かれた、現存する最古の「法典」であるが、ウルナンム王（前二一一二―二〇九五年頃）の息子、シュルギ王（前二〇九四―二〇四七年頃）の時代に作られたと考える研究者もいる。

ウル第三王朝時代になると、統一国家も成熟段階にはいり、社会正義の擁護者として、王の権限を目で見える形で表すようになった。これが法典や王讃歌の成立の理由であり、王の神格化なども挙げられる。

なお、「法典」とかぎかっこ付きで表すのは、法典を「序文、本文および跋文《ばつぶん》で構成され、立法の意義も明記されている法集成」と定義すると、『ウルナンム「法典」』を「法典」と呼ぶには問題があるためである。また、同時代の裁判記録に「法典」への言及が見られず、現実に公布・施行された法であったとは考えがたい要素もある。そこで、かぎかっこ付きで暫定的に「法典」と呼んでいる。

## 「法典」の構成

『ウルナンム「法典」』は、ニップル市、ウル市から出土した断片が知られていて、序文のほぼ全文と約三〇の条文が復元され、さらに研究が近年進展している。三〇条の内容は次の通りである。

第一条　殺人、第二条　暴行（?）、第三条　不法拘束、第四・五条　奴隷の結婚、第六・七条　仮結婚中の処女の暴行と妻の不倫、第八条　強姦、第九－一一条　離婚、第一三・一四条　神明裁判、第一五条　仮結婚の解消、第一七条　逃亡奴隷、第一八－二二条　傷害、第二四－二六条　女奴隷、第二八・二九条　偽証、第三〇－三二条　農夫、小作人の責任。

第一二、一六、二三、二七条は欠損箇所が大きく、内容がわからない。

条文はまず「もし……ならば」と条件節があって、「……すべきである」と帰結節が続く。条件が異なれば、当然帰結も異なってくる形式で、こうした形式を「決疑法形式」あるいは「解疑法形式」という。後代の『ハンムラビ「法典」』もこの形式で書かれている。

### 「やられても、やりかえさない」

以下では条文を一つ一つ見てみよう。それぞれ「もし人が……ならば」と和訳されるが、この「人」とは「人」を意味するシュメル語のルの訳であり、具体的には「自由身分の男性」を指すと考えられている。

第一条
もし人がほかの人の頭に武器を打ち下ろしたならば、その人は殺されるべきである。

第二条
もし人が強盗を働いたならば、殺されるべきである。

殺人や強盗は死刑とされていた。ただし、「盗人にも三分の理」という諺が我が国にはあるが、殺人や強盗を犯した人間にもそれぞれの理由があるわけで、シュメルでも正当防衛は認められていたようだ。

第一八―二二条は傷害罪に対する罰則である。

第一八条
もし［人が……でほかの人］の足を傷つけたならば、彼は銀一〇ギンを量るべきである。

第一九条
もし人が棍棒でほかの人の［……］骨を砕いたならば、彼は銀一マナを量るべきである。

第二〇条
もし人が……でほかの人の鼻を傷つけたならば、彼は銀三分の二マナを量るべきである。

第二一条
もし［人が……］で［ほかの人の……］を傷つけたならば、［彼は銀……マナを］量るべきである。

第二二条

もし［人が……］で［ほかの人の］歯を叩《たた》いたならば、彼は銀二ギンを量るべきである。

（［　］は欠損箇所で、［　］内の語は訳者が補った。一ギン＝約八・三グラム、一マナ＝約五〇〇グラム）

シュメル人の社会では「やられたら、やりかえせ」式の「同害復讐《ふくしゅう》法」は採用していなかった。傷害罪は賠償で償われるべき、つまり銀を量って支払うとの考え方が採用されていた。シュメル社会には鋳造貨幣（コイン）はなく、銀を量って支払いをする秤量《ひょうりょう》貨幣であった。

## 『ハンムラビ「法典」』の傷害罪

『ウルナンム「法典」』と同じ罪を約三〇〇年後の『ハンムラビ「法典」』はどのように裁いただろうか。

『ハンムラビ「法典」』は、シュメル人が蔑視《べっし》した北西セム語族に属すマルトゥ人（アモリ人）が建てたバビロン第一王朝の第六代ハンムラビ王（前一七九二－一七五〇年頃）が前一八世紀に制定したものだが、ここでは遊牧民社会の掟《おきて》である「同害復讐法」が採用されている。

第一九六条

もし人が（ほかの）人の目を損なったならば、彼（＝被害者）は彼（＝加害者）の目を損

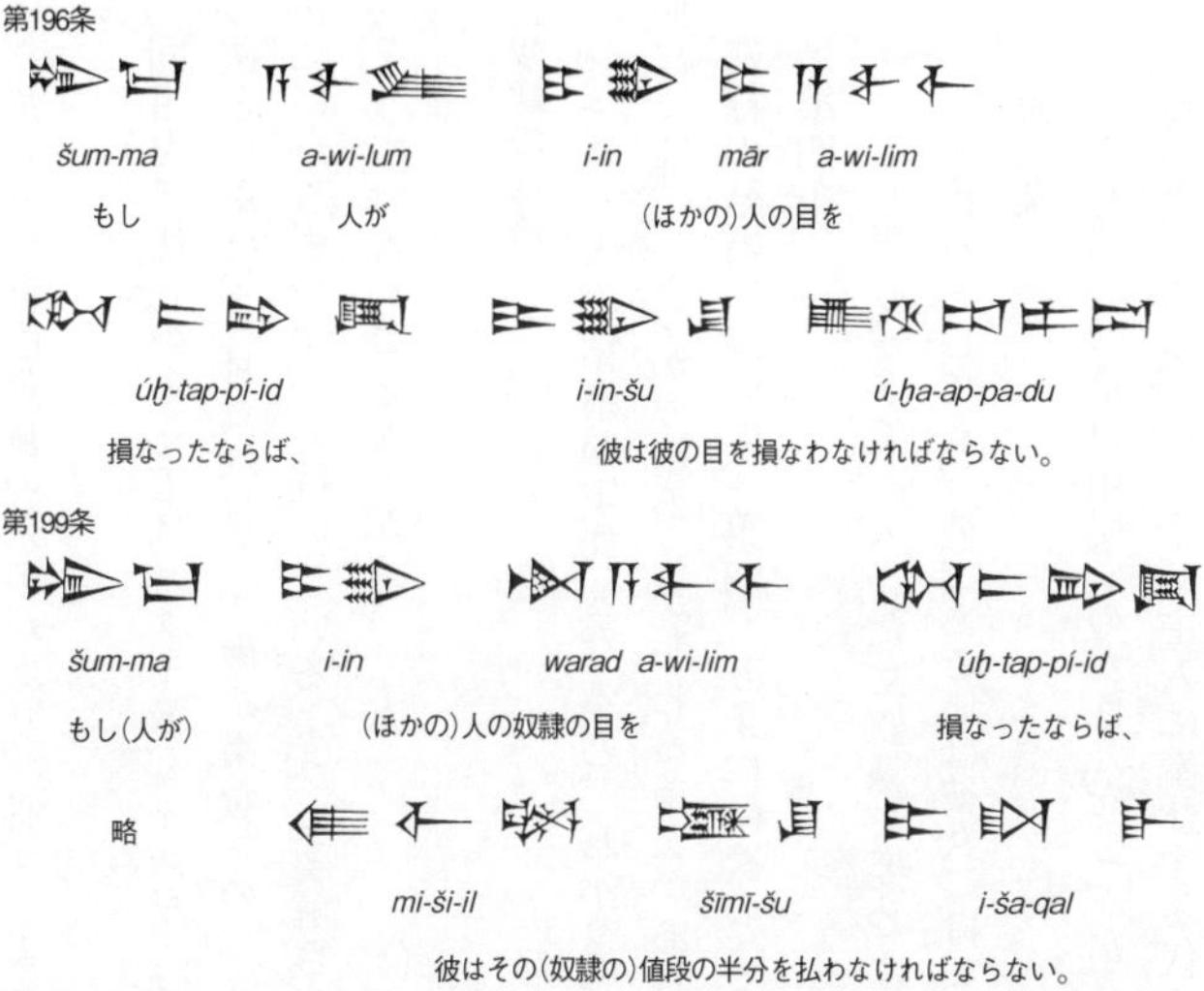

第196条
šum-ma
もし
a-wi-lum
人が
i-in
mār
a-wi-lim
（ほかの）人の目を
úḫ-tap-pí-id
損なったならば、
i-in-šu
ú-ḫa-ap-pa-du
彼は彼の目を損なわなければならない。
第199条
šum-ma
もし（人が）
i-in
warad
a-wi-lim
（ほかの）人の奴隷の目を
úḫ-tap-pí-id
損なったならば、
略
mi-ši-il
šīmī-šu
i-ša-qal
彼はその（奴隷の）値段の半分を払わなければならない。

『ハンムラビ「法典」』第196条、第199条　前18世紀の書体ではなく古い書体で、上図のように90度横になった形ではなく、碑には立った形で刻まれている

なわなければならない。

第一九七条

もし人が（ほかの）人の骨を折ったならば、彼は彼の骨を折らなければならない。

第一九九条

もし（人がほかの）人の奴隷の目を損なったならば、彼はその（奴隷の）値段の半分を払わなければならない。

第二〇〇条

もし人が（ほかの）人の歯を折ったならば、彼は彼の歯を折らなければならない。

これが有名な「目には目を」を表す条文だが、実際の裁判の場で

は、裁判官の自由裁量の余地があり、必ずしもこの通りの処罰がおこなわれたとは考えられない。

「同害復讐法」の考え方はユダヤ教、イスラム教の世界にも見られることから、西アジア世界の法といえば、「目には目を、歯に歯を」の「同害復讐法」であって、イラクでは古代から現在にいたるまでずっと続いているように誤解されているが、シュメル人の法律を見れば、決してそうではないことがわかる。

### 奴隷の結婚

シュメル人の結婚の実態となると、わからないことが多い。それでも、『ウルナンム「法典」』にはいくつかの結婚にかかわる条文がある。

奴隷の結婚について、第四、五条には次のように書かれている。

第四条

もし男奴隷が気に入った女奴隷を娶《めと》ったならば、そして（その後に）男奴隷が自由を与えられるとしても、彼（あるいは彼女）は（主人の）家から去るべきではない。

第五条

もし男奴隷が自由民（の女性）を娶ったならば、彼は息子の一人を彼の主人に奉仕させるべきである。その子が主人に奉仕する代わりに、父の家の財産のその半分を「父の家」

の壁から分けたとき、その自由民の子は主人によって所有されるべきでないし、奴隷身分を強要すべきでない。

男性奴隷と自由身分の女性との結婚が可能であった。このことは自由民と奴隷との境界があいまいな社会であったことを表している。奴隷の子には奉仕義務が生まれるが、財産の半分を主人に与えることで、奴隷ではなくなった。

## 新妻の災難

シュメル社会では、女性は財産を所有でき、事業で契約を結ぶことができ、裁判に出廷して証言することができたが、かといって男性と平等であったということではない。

第六条

もし人が若い男性の（床入りを済ませていない）処女である妻を、暴力に及んで犯したならば、その男性は殺されるべきである。

第七条

もし若い男性の妻が自分の意思でほかの男性にしたがい、彼と性的関係を結んだならば、その女性を殺し、（相手の）男性は解放されるべきである。

第八条

もし人が人の（床入りを済ませていない）処女である奴隷身分の妻を暴力に及んで、犯したならば、銀五ギンを量るべきである。

第六、八条は床入りを済ませていない新妻が犯されたときにはという、やや衝撃的な条文である。その新妻が自由民か、奴隷かによって、刑罰に差があるのは身分制社会ではしかたないことである。また、第七条では、夫の不貞は問われずに、妻の不貞は死罪としているが、これは法の下の男女平等に反することを理由に一九四七年（昭和二十二年）に廃止された我が国の「姦通罪」を思わせる。

結婚があれば、離婚もある。離婚となれば今も昔も慰謝料である。

第九条

もし人が彼と対等（の身分?）の妻を離婚するならば、彼は銀一マナを量るべきである。

第一〇条

もし人が未亡人（であった再婚の妻）を離婚するならば、彼は銀二分の一マナを量るべきである。

第一一条

もし人が正式な書かれた契約書なしに未亡人と性的関係を結んだならば、彼は（離婚にさいして）銀を量る必要はない。

初婚の妻と再婚の妻では支払われる慰謝料の額がちがっているし、内縁関係だと慰謝料なしであった。

### 神明裁判

傷害罪では賠償で償うという進歩的な規定が採用されているが、一方で古代人ならではの神明裁判も見られる。

『日本書紀』によれば、我が国の古代社会には「盟神探湯《くかたち》」といわれる神明裁判があった。甕に湯をわかして、これに小石などを入れて、被疑者あるいは訴訟当事者に取り出させ、手がただれるかどうかで、罪の有無あるいは主張の真否を判断する方法をいう。

現代人はこうした判断を非合理的と一笑に付すが、古代人はそこに神の意思を見た。シュメル人も古代人であって、河の神に裁きを委《ゆだ》ねていた。

第一四条

もし人が若い男性の妻を乱交の故に訴え、河の審判が彼女への疑いを晴らしたならば、彼女を訴えた男は銀二〇ギンを量るべきである。

乱暴なことだが、「あそこの奥さんは浮気をしている」と後ろ指を指され、訴えられた妻は河に飛び込まされた。水泳ができる、できないの問題ではなく、潔白ならば河の神が助けてくださるはずだとシュメル人は考えていた。当然、潔白を証明した妻は訴えた男から賠償金をとることができた。

現代人には理解しがたい考え方だが、河の神に裁きを委ねることは次章で紹介する『サルゴン王伝説』や『ハンムラビ「法典」』でも見ることができる。

夫婦像　ニップル市出土

### 夫婦の情景

最後に、一対の像を見ていただこう。ニップル市から出土した祈願者像である。石膏製の男女の座像である。碑文は刻まれていないが、長く連れ添った夫婦の情愛と結婚生活の満足感を表現している像だという。だが、微笑《ほほえ》ましいだけだろうか。手をとりつつも、そっぽを向いた顔には夫婦とはこんなものといったあきらめが垣間見えるようにも思える。このあたりの微妙な心理を見逃さなかったシュメル人の彫刻師の人間観察はなかなかのものである。

シュメルの「結婚」についての諺は普遍的真理であろう。

お前の好みで妻を娶れ、お前が望んだときに子供を持て。

彼にとって楽しいこと（は）結婚、よく考えて離婚。

# 第六章
# 「真の王」サルゴン
## 最古の国際社会

伝サルゴン王頭部像

本書が扱っている時代は古いのである。今から4000年ぐらい前には終わってしまった文明の話をしているのだから、完全な形で遺物が出土する方が珍しいといえる。

目が欠損していても、この実物大に作られた頭部像の迫力は充分であって、今まで紹介してきたシュメル人の理想主義的な柔和な表情とはちがうことがわかる。この頭部像はアッカド人のサルゴン王あるいはナラム・シン王といわれている。本章の主人公はこのアッカド人であり、彼らはシュメル人とは共存するものの、その都市国家を征服し、周囲の諸民族とは戦いを繰り返していた。

こうした最古の国際社会を本章では見るとしよう。

銅製、ニネヴェ市出土、前3000年紀後半、高さ36cm、イラク博物館蔵

## 異民族の王

### アッカド王の面構え

日本人が西アジアの人々の容姿に持つイメージはどのようなものだろうか。頭にはヘジャブ(「かぶりもの」全般を指す。元来は「カーテン・ベール」の意味のアラビア語)、身体は黒いチャドルに包まれた女性については、目鼻立ちのはっきりした顔はわかっても、身体つきについては肥っているのかやせているのかさえよくわからないというのが正直な感想になるだろう。男性の方がわかりやすい。黒い毛髪、目鼻立ちのはっきりした顔で、ひげを生やしている人が多く、毛深いがっしりした身体つきということになるだろうか。西アジア世界にもさまざまな民族が暮らしているが、このイメージのもとは西アジア世界で圧倒的多数を占めるアラブ人である。

アラブ人が西アジアの歴史で主役の座に就いたのは七世紀にイスラム教が興って以降である。古代オリエント史では、アラブ人は新アッシリア帝国時代(前一〇〇〇頃―六〇九年)になって、ようやく少し顔を出す。

アラブ人は南方セム語族に属す。古代オリエント史に登場する諸民族については『旧約聖書』「創世記」第一〇章に書かれている。序章で話した大洪水が収まった後で、ノアの三人の子供が諸民族の祖となったとの伝承にちなんで、セム語族、ハム語族そしてヤフェト語族の名前がつけられ、この分類が現在も使われている。

セム語族の原郷はアラビア半島南端の地、現在のイエメン共和国といわれている。この地からバビロニアに東方セム語族に属すアッカド人が入ってきたが、それがいつ頃かはわからない。

アッカド人の容貌《ようぼう》を伝える鋳造彫刻がある。ニネヴェ市のイシュタル女神の神殿で発見された銅製（青銅製ともいう）頭部像は、アッカド王朝（前二三三四－二一五四年頃）初代サルゴン王といわれているが、孫で第四代のナラム・シン王を表すという説が最近有力である。いずれにしてもアッカド王の面構えであり、現代アラブ世界の王様と似ている。

| 王　名 | 前　年頃 |
|---|---|
| 1　サルゴン | 2334－2279 |
| 2　リムシュ | 2278－2270 |
| 3　マニシュトゥシュ | 2269－2255 |
| 4　ナラム・シン | 2254－2218 |
| 5　シャル・カリ・シャリ | 2217－2193 |
| 6　イギギ | 2192－2190 |
| 7　ナニュム | |
| 8　イミ | |
| 9　エルル | |
| 10　ドゥドゥ | 2189－2169 |
| 11　シュ・トゥルル | 2168－2154 |

アッカド王朝の王たち

この肖像は蛮族の王ではなく、文明国の王であって、美しく整えられた、髪型やひげがそのことを表している。髪を整えて、後頭部に髷を作り、ヘアバンドでおさえる髪型は「ウル王墓」から出土した黄金製の冑（一三七ページ下図参照）に彫られている髪型と似ていて、シュメルの王の髪型を継承していたようだ。

シュメル人の像、たとえばグデア王の丸い顔に見られる理想主義的な柔和な面差しと比較すると、目がくりぬかれ眼光が失われているものの、高い鷲鼻《わしばな》や長く巻いたひげは精悍《せいかん》なセム人の特徴をよく表している。王者としての自信の表れであろうか、口元には笑みさえ浮かべられている。力強く、かつ写実的なアッカド美術の代表作である。

### いまだに見つからないアッカド市

紀元前二四世紀中頃、シュメル人の都市国家の分立状態を終わらせ、メソポタミア南部にはじめての統一王朝をもたらしたのはアッカド人のサルゴン王であった。サルゴンを初代とするアッカド王朝は一一代約一八〇年間メソポタミアに君臨したが、実質的には第五代シャル・カリ・シャリ王の治世にグティ人が侵入して崩壊の途をたどった。

アッカド市は『旧約聖書』「創世記」第一〇章第一〇節ではニムロド王の町と書かれているが、いまだに見つからず、正確な場所は特定されていない。シッパル、キシュ両市の間に位置し、ユーフラテス河沿いあるいはバグダード新市域の地下に埋もれているかもしれない。キシュ市はアッカド人の中心都市であって、しかもサルゴン王はその前身がキシュ王の酒杯官であったことから、一九八八年（昭和六十三年）に国士舘大学が同市の発掘を開始したときには、アッカド市発見の手がかりが得られるだろうと期待されていたが、一九九一年に「湾岸戦争」が勃発して、残念ながら発掘は中止されてしまった。

**サルゴン王（左下）**　サルゴン王の戦勝碑断片（ルーヴル美術館蔵）

## サルゴンの功業

### 「真の王」サルゴン

サルゴンという名前は『旧約聖書』に出てくるヘブライ語名であって、アッカド語ではシャル・キンという。この名前は「真の王」を意味しているが、生まれながらの王族であったならばこうした名前を名乗らないはずである。出世してから付けられた名前であり、端なくも成り上がりであることを示してしまったといえる。

『サルゴン王伝説』に語られているところでは、サルゴン王の母は子供を産んではいけない女神官であったようだ。母はひそかにサルゴンを産み、籠《かご》に入れてユーフラテス河に流したという。祝福されない赤子の運命は河の神の「神明裁判」に委ねられ、その結果は「吉」と出、赤子の運命は好転した。アッキという名前の庭師に拾われ、その後キシュ市のウルザババ王の酒杯官となり、やがてサルゴンは王権を簒奪した。ウルザババはそうなることを見越していたようで、サルゴンを暗殺しようと企てたが失敗した

**サルゴンの王碑文に「銀の山」と書かれているタウロス山脈のせまい峠道「キリキアの門」** アレクサンドロス大王もここを通り、イッソスの戦いにのぞんだ

ことは第三章ですでに紹介した。

河に流されたサルゴンの話は、アケメネス朝ペルシアの初代王キュロス二世（前五五九－五三〇年）、イスラエル人の「出エジプト」を指導したという伝説の人モーセ、そして「ローマ建国伝説」の双生児ロムルスとレムスなどにまつわる「捨て子伝説」の最古の例である。

### 「上の海から下の海まで」

サルゴン王の功業を記録した王碑文は、本来はニップル市のエンリル神を祀ったエクル神殿中庭に立てられた碑であった。本物は失われたが、古バビロニア時代の学校（第七章参照）で書記を養成するために使われていた写本が現在残っている。シュメル語とアッカド語の二カ国語で書かれている。

シュメル統一を目指し、ウンマ市の王にあきたりずウルク市の王位を得ていたルガルザゲシ王をサルゴン王は急襲して捕虜とし、彼に代わってシュメル統一の覇業を成し遂げたことを次のように書いている。

サルゴンはウルク市を征服し、その城壁を破壊した。彼は戦闘でウルク市に勝利した。ウルク市の王ルガルザゲシを戦闘で捕らえ、軛《くびき》にかけエンリル神の門まで連行した。

さらにウル市、ラガシュ市そしてウンマ市に勝利し、その城壁を破壊したと書き、次のように続ける。

国土の王サルゴンにエンリル神は敵対者を与えない。エンリル神はサルゴンに上の海（＝地中海）から下の海（＝ペルシア湾）まで与えた。

下の海から（アッカド市まで）アッカド市の市民に（シュメル諸都市の）エンシ権（＝王権）を選び与えた。マリ市とエラムは国土の王サルゴンの足下に服した。

（略）

「上の海から下の海まで」、つまり地中海からペルシア湾までの広大な帝国を支配したとサルゴン王は豪語している。

### 五四〇〇人の常備軍

サルゴン王はなぜシュメル地方の諸都市を破ることができたのだろうか。強さの秘密は常備軍を持っていたことであった。次に引用する王碑文にもそのことが書かれている。この王碑文もシュメル語とアッカド語の二カ国語で書かれ、後世の写本である。

キシュ市の王、サルゴンは三四回の戦闘で勝利を得た。彼は諸都市の城壁を海の岸まで破壊した。彼はアッカド市の岸壁にメルッハの船、マガンの船そしてティルムンの船を停泊させた。

王、サルゴンはトゥトゥリ市でダガン神に礼拝した。

ダガン神はサルゴンに杉の森（＝アマヌス山脈）と銀の山（＝タウロス山脈）までの上の国、つまりマリ市、イアルムティ市そしてエブラ市を与えた。

五四〇〇人が、エンリル神が敵対者を与えない王、サルゴンの前で毎日食事をした。

（略）

サルゴン王が毎日の食事を提供した五四〇〇人の兵士がいたことが書かれていて、王に忠誠を誓う戦士集団を育成していたことがわかる。

メルッハはインダス河流域地方（エチオピア説もある）、マガンはアラビア半島のオマーン、ティルムン（シュメル語ではディルムン）はペルシア湾のバハレーンおよびファイラカ島周辺地域にあたるといわれている。三カ所ともに銅の交易拠点であった。また、マガンからは閃緑岩、ディルムンからは玉葱が輸入されていた。

サルゴン王は常備軍の力によって、ラガシュ市やウル市に替わってペルシア湾を中心とした交易を掌握し、富を得た。

### 共通語はアッカド語

アッカド王朝がメソポタミアを支配するに及んで、アッカド語がシュメル語に取って代わる。アッカド王朝が滅亡した後も、前二〇〇〇年紀になるとこの傾向は本格化して、シュメル語はラテン語と同じように教養としては学ばれても、日常語としては死語になる。

アッカド人は自らの言語アッカド語を表記するために、シュメル人が発明した楔形文字を借用した。中国語を表記するために発明された漢字を、日本語を表記するために日本人が借用したのと同様である。日本人は仮名文字を作ったが、アッカド人はこうした工夫はせずに楔形文字を表音文字として使用した。

前一四世紀前半の「アマルナ時代」になると、アッカド語は古代オリエント世界の共通語として使用されていたことはすでに第一章で紹介した。

王宮G　ここから文書が出土

### エブラ市の文書庫

一九六四年に始まったイタリア考古学調査団（P・マティエ団長）による、シリアのアレッポ市南西約六五キロメートルのテル・マルディーク遺跡調査では、一九七四、七五年になって、「王宮G」の文書庫から約二五〇〇〇枚の粘土板が出土した。「王宮G」は火災によって破壊されていたが、火災のおかげで粘土板が焼かれ、保存の効く状態になって埋もれていたことが幸いし、ここが、アッカド王朝初代サルゴン王やその孫で第四代ナラム・シン王の王碑文に征服したと記録されていたエブラ市と特定された。

ナラム・シン王が周辺地域を征服したことを記す王碑文の一部を次に紹介しよう。

人類の創造以来ずっといかなる王といえども誰でもアルマーヌム市とエブラ市を破壊した者はいなかったが、ネルガル神は（彼の）武器によって強きナラム・シン神のために道を開き、彼にアルマーヌム市とエブラ市を与えた。

さらにネルガル神はナラム・シン神にアマヌス（山脈）、（つまり）杉の山そして上の海（＝地中海）を与えた。

ナラム・シン神の王権を大きくするダガン神の武器によって、強きナラム・シン神はアルマーヌム市とエブラ市を征服した。

（略）

アルマーヌムは一説によれば、アレッポ市ともいわれている。

アッカドの攻撃で焼け落ちた文書庫は、三方の壁に各三段の書棚があったようで、粘土板をどのように棚に配架したかを示唆していた。粘土板に記録されていた内容は行政経済文書つまり各種の会計簿が大部分であって、王碑文や文学文書は出土していない。行政経済文書にはシュメル語の名詞が多数使われていたので、エブラの書記たちがシュメルの書記術を学んでいたことがわかった。

エブラでは、アッカド語と同様にセム語に属し、同じくらい古いエブラ語が使われている。

エブラ文書の出現は、メソポタミア南部でシュメル人が都市国家を分立させていた頃に、北部にはエブラ市、マリ市、キシュ市そしてアッカド市のようなセム語文化圏があったことを明らかにした。

エブラはその繁栄期にアッカドの王たちと敵対し、またマリとも戦っている。さらに、後代にはエジプトの第一八王朝トトメス三世（前一四七九－一四二五年）がカルナック神殿の壁に刻んだ征服地名表にエブラの名前は含まれている。トトメス三世は「古代エジプトのナポレオン」とニックネームがつけられるほど、征服活動を盛んにおこなったが、彼の先駆けといえる王たちがアッカド王朝にはいた。

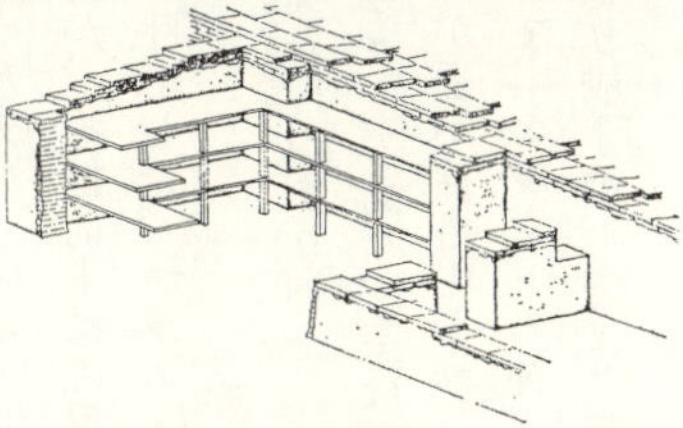

(上) エブラの文書庫　アッカドの攻撃で焼け落ち、そのまま埋もれていた粘土板
(下) 文書庫想像復元図

### 神になった王

アッカド王朝初代サルゴン王は統一の覇業を成し遂げたが、自らの権威を示すことについては「成り上がり」である自らの名前をシャル・キン「真の王」とするのが精一杯であったようだ。

だが、孫で第四代のナラム・シ

ン王になるとちがっていた。ナラム・シンは生まれながらの王族であって、祖父に優るとも劣らずに領土拡大を果たしたが、治世前半には反乱が起きた。キシュ、ウルク両市が首謀者で、シュメルのすべての都市が呼応した。ナラム・シンはこの反乱を鎮圧した後で、自らを神格化した。

古代エジプトでは王は現人神《あらひとがみ》つまり神王（ゴッド・キング）であったが、メソポタミアの王は神官王（プリースト・キング）であり、王は神とはみなされなかった。だが、メソポタミアでも、例はきわめて少ないが王が神格化された。ナラム・シンも神格化された数少ない王である。ただし、神格化といってもエジプトの神王のように最高神と王とが合一されることはなく、人間社会の運命を大神に執り成す神、つまり個人神（第八章参照）のような立場の神に神格化された。

文書や図像で神格化を表すさいには、人間ではなく、神であることを示す目印を付ける。この目印にはいくつかの方法がある。文書の上では神であることを示す限定詞を付けることであり、図像の面では角の付いた冠をかぶることなどである。

ナラム・シン na-ra-am-$^{d}$en-zu とは「シン神の最愛の者」を意味し、月神シン en-zu（エン－ズと綴ってシンと読んだ）の前に神であることを示す限定詞ディンギル dingir が見られる（上付きの d が dingir の略を示す）。ナラム・シンが神格化されると $^{d}$na-ra-am-$^{d}$en-zu と表記されて、神格化を示す限定詞が名前の先頭にもう一つ使用されていて、「ナラム・シン神」を表す。

メソポタミアの王の神格化はナラム・シンが最初で、その後ウル第三王朝（前二一一二－二〇〇四年頃）の王たちにも見られる。

「ナラム・シン王の戦勝碑」

一九〇一－〇二年にJ・ド・モルガン率いるフランス隊はエラムの首都であったイランのスサ市（現代名シュシュ）で発掘をおこなった。エラムの神像やペルシアの遺物ばかりでなく、前一二世紀中頃にエラムの王たちが略奪して来たアッカド王朝第三代のマニシュトゥシュ王（前二二六九－二二五五年頃）の像、バビロン第一王朝の『ハンムラビ「法典」』碑などとともにこの「ナラム・シン王の戦勝碑」も発見されて、これらの貴重な遺物はルーヴル美術館に収蔵されている。

ナラム・シン王の戦勝碑
砂岩、高さ2メートル
（ルーヴル美術館蔵）

「ナラム・シン王の戦勝碑」は高さ約二メートル、幅約一メートルの石碑で、赤色砂岩の一枚岩から制作されている。画面を数段に区切って王の功業を物語るシュメルの石碑とはちがって、ナラム・シン王の勝利の瞬間が碑一面に大きく描写

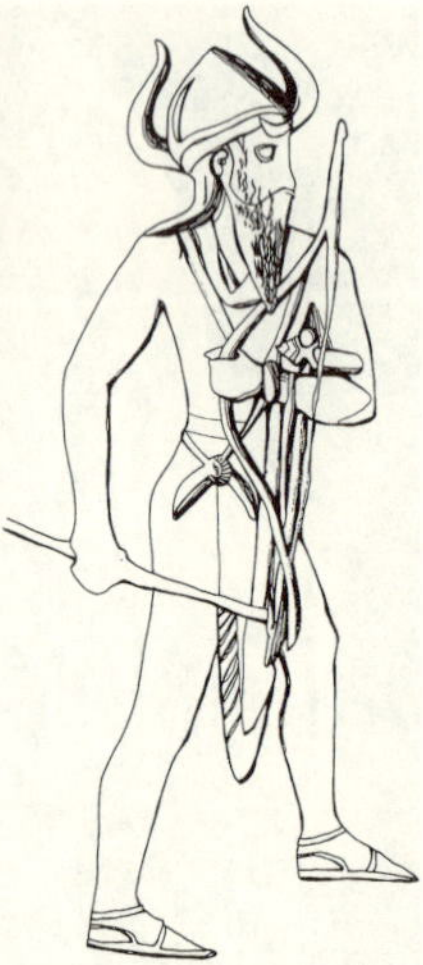

(右)戦勝碑に刻まれたナラム・シン王
(上)ザグロス山脈の岩山

されている。王は自らが先頭に立って蛮族を征伐する。王は強弓《こわゆみ》を使い、シュメルの密集戦団よりもはるかに行動的であった。

画面右上方にはザグロス山脈、下方には森林地帯があり、森のなかを逃げ惑う敵を追ってナラム・シンの軍勢は急な山道を進軍して行く。最上段にひときわ大きい王の姿がある。神格化を物語る特大の角のある冑をかぶり、強弓と長矢、戦闘斧などで武装している。

敵兵を踏みつける王の足はサンダルを履いている。山岳地方への遠征となれば履物が必要であり、このサンダルはメソポタミアにおける最古の履物の図像である。

ナラム・シン王は外征を繰り返し、西方ではアナトリアまで達し、南東方面ではマガンからも朝貢団がやって来たという。エラムの首都スサを占領すると、山岳民族ルルブ族の征伐のためザグロス山脈へ向かうが、その激しい戦闘と勝利を「ナラム・シン王の戦勝碑」に刻んだ。

ナラム・シンの頭上にアッカド語で刻んだ「ナラム・シン神、猛き者、……ルルブ族の首長サトニを平定……」は摩滅してしまい、前一二世紀中頃にこの碑を略奪したエラムのシュトルク・ナフンテ王がエラム語で刻んだ「アンシャン市とスサ市の王、エラムの支配者、私……ナラム・シン王の石碑を得て、エラムに持ち帰り、我が主インシュシナク神に奉献する」の方は読むことができる。ナラム・シン王がこの碑を見たら、なんと思うだろうか。

## 民族対立はあったか

### シュメル人とアッカド人

バビロニアにおいては、シュメル人は南方、アッカド人は北方に住み分けていたようだが、両者は二分されていたのではなく、混在もしていた。

シュメル人とアッカド人の間には民族対立はなかったのであろうか。この観点からの研究もかなりこれまでされてきたが、どうやら深刻な民族対立はなかったようだ。シュメルの都市国家はアッカド人サルゴン王に切りしたがえられたが、これも民族対立に起因するものではなかった。

シュメル人とアッカド人はともに都市生活をし、神を崇拝し、文化を持つ民であって、共存していた。このことを証明する一つの例が、次に挙げるウル第三王朝の王たちの名前である。

アッカド王朝滅亡後、前三〇〇〇年紀末に成立したシュメル人のウル第三王朝はアッカド王朝で確立された中央集権制をさらに発展させた。五代の王、約一〇〇年の王朝であって、親子関係は明確にわかっている。シュメル人であることは間違いなく、初代、第二代の王はシュメル語の名前であり、第四代、第五代の王名はアッカド語の名前であるが、第三代のアマル・シンは、少し複雑な名前でアマル「仔牛」はシュメル語、シン神はアッカドの月神である。シュメルの月神ならばナンナ神になる。

初　代　ウルナンム（「ナンム女神の戦士」の意味）

第二代　シュルギ（「高貴な青年」の意味）ウルナンム王の子

第三代　アマル・シン（「シン神の仔牛」の意味）シュルギ王の子

第四代　シュ・シン（「シン神の人」の意味）アマル・シン王の兄弟

第五代　イッビ・シン（「シン神が名を呼ぶ人」の意味）シュ・シン王の子

現在の日本では欧米崇拝が根強く、子供の名前にたとえば弾《だん》、健人《けんと》、麻里《まり》、エミリといった、欧米風の名前を付ける例がけっこう見られる。欧米が嫌いであったら、こうした名前は付けない。シュメル人もアッカド人を嫌っていたら、アッカド語の名前を名乗らなかったであろう。

## シュメル版「中華思想」

シュメル人はアッカド人とともにカラム（「国土」の意味）に住んで農業を営み、都市生活を謳歌《おうか》した。カラムは豊饒な世界であったが、周辺地域はクルと呼ばれた荒地であって、農業はままならず、遊牧しながら天幕《テント》に住み、貧しかった。そのためにシュメル人はここに住む人々を蔑視していた。

「中原」「中華」は物質的に恵まれ、文化的に優れた世界の中心だが、周辺を劣等民族の住む所、たとえば東方に住む日本人を「東夷《とうい》」と見下す「中華思想」は東アジアの歴史ではよく語られる。似たような発想はシュメルにもあった。シュメル人、アッカド人は文化を持つ優れた民だが、翻って周辺に住む人々を文化を持たず、動物同然と蔑《さげす》んでいた。

第一章で紹介した『エンメルカルとアラッタ市の領主』には、文字の起源のほかにもう一つ興味深い話が含まれている。

昔々、エンリル神が支配していた時代には人々は一つの言葉を話していて、世の中は平和であった。だがエンキ神が彼らの言葉を変え、この世に争いを生ぜしめたというのである。

その昔には蛇はいなかったし、さそりはいなかった、ハイエナはいなかったし、ライオンはいなかった、野犬、狼はいなかった、不安、恐れはなかった、人は敵を持たなかった。

(今は)異なる言葉(を話す)国、スビルとハマジ、高貴なメを持つ大いなる国シュメル、優れた国ウリ(=アッカド)、豊かな草に安らぐ国マルトゥ、(これら)全世界で、調和していた人々はエンリル神に一つの言葉で語りかけた。

「メ」とは、シュメル人が考えていた、世界秩序の根源となる律法で、知恵の神エンキ神が掌握していた。

この引用箇所は「バベルの塔」説話の原型といわれる話である。『旧約聖書』「創世記」第一一章には、人々が天まで届く塔を建てようとしているのを神が見て、一つの言葉で話しているから不届きな所業に及んだとして、言葉をバラバラに乱して互いの意思疎通を図れないようにしたために建設は頓挫《とんざ》したという話がある。

シュメルのこの話でも、本来、全世界の人々は一つの言葉で話していたことが語られていて、ここに当時の世界観が示されている。

北方の山岳地方であるスビル（アッカド語ではスバルトゥ）は中華思想に見られる蔑視の表現に見立てれば「北狄《ほくてき》」になる。

ハマジは東方のエラム地方にあったといわれ、「東夷」に相当する。そして西方のマルトゥは「西戎《せいじゅう》」となる。シュメル版「中華思想」では「南蛮」に該当する異民族はなく、南方に文明国であるシュメルとアッカドが位置していた。

シュメル語で書かれた文学作品のなかにはこれらの人々に対する辛辣《しんらつ》な表現が見られる。

「北狄」スビルは「天幕に暮らし、神々の場所を知らず、動物の如くつがい、神への奉納を知らない」。

「西戎」マルトゥは「火を加えない食物を食べ、生きている間は家に住まず、死んだときには墓に葬られない」。

「東夷」エラムは「いなごのように群れるが、生きている人のなかに加えられない」。

さらに、アッカド王朝を窮地に陥れたグティ人については「人間として作られているが、その知恵は犬、その容貌は猿である」と罵っている。

人間は自他の差を強調し、ことに他者を貶《おとし》めることで自らを高めるといったことをしがちであり、シュメル人もまた自分たちと生活習慣のちがう周辺諸民族を獣並みに貶め、自らを文明に浴した人間として高めていた。

## 不仲な隣国

隣人とは仲良く付き合いたいものだが、そうはいかないこともある。国もそうであるが人とちがい、国と国との付き合いはこじれれば戦争である。歴史を顧みると、隣り合う国々は友好的であるというより、不仲である方が目につく。我が国も隣国とのお付き合いに常に頭を悩ませている。たとえばイギリス・フランスは「百年戦争」（一三三七―一四五三年）を、ドイツ・フランスは「普仏戦争」（一八七〇―七一年）を、そしてロシア・トルコも「露土戦争」（一六七六―一八七八年の間に一二回）を戦っていて、ほかにも隣国間の戦争の例は数限りない。

イラクと隣国のイランも同様であって、最近では国境線の線引きに端を発する「イラン・イラク戦争」（一九八〇―八八年）の激しい戦闘は、一九七九年に起きた「イラン・イスラム革命」後まもなくということも加味して、西アジアの問題にはあまり関心を払わない我が国でもしばしば熱心に報道された。いうまでもなく、イランとイラクとの戦争はこれが最初というわけではなく、五〇〇〇年も昔にすでに戦っていた。

## 古代版「イラン・イラク戦争」

エラムという名前はエラム語のハタミあるいはハルタミに由来し、シュメル語でエラムと表記された。

エラムの言語系統はいまだによくわからない。前三〇〇〇年紀にはシュメル人の影響で絵文字、線文字を工夫し、前一三世紀―一二世紀の中期エラム語になると楔形文字を借用している。エラムは本来スサを中心とする地域を指したが、イラン高原の奥地アンシャン市（現代名タレマリヤーン。シラーズ北西四六キロメートルに位置する）にいたる地域に拡大された。高地あり、低地ありのイラン南西部の広大な地域であった。イラン高原の大部分が未開の地であった前三〇〇〇年紀には、エラムはむしろメソポタミア平原の延長と考えられていた。シュメルとは交流があり、シュメルの史料にしばしば登場した。

『シュメル王朝表』にはエラム地方のアワン市が含まれ、ラガシュ市を支配していたウルナンシェ王朝の王たちがエラムの諸都市と戦って、勝利したことを王碑文に書いている。

エラムとラガシュとの戦争を伝えた手紙がある。初期王朝時代の手紙で唯一残っている、多分メソポタミア最古の手紙である。手紙の受取人、エンエンタルジは、ウルナンシェ王朝第六代で最後の王エンアンナトゥム二世の後に、ラガシュ市の王となった。エンアンナトゥム二世の父王エンメテナ王治世一九年には、エンエンタルジはニンギルス神のサンガ職（神殿の最高行政官）であって、エンアンナトゥム二世治世にもサンガ職であり続けた。手紙はその頃に、あるいはもう少し後に書かれた。

手紙の発信人はラガシュ市のグアッバ地区の守護神ニンマルキ女神のサンガ職、ルエンナである。ルエンナは侵入して来たエラム軍を撃破したことを、エンエンタルジに宛てて手紙で伝えている。以下にその一部を紹介する。

ニンマルキ女神のサンガ職、ルエンナが語る（ことを）、
ニンギルス神のサンガ職、エンエンタルジにいえ。

六〇〇人のエラム人がラガシュ市から財物をエラムへ持ち去った。［ニンマルキ女神の］サン［ガ］職ルエンナは［エラム人と］戦争をした。エラムで撃滅した。五四〇人のエラム人を［捕虜にした／殺害した］。
（略）

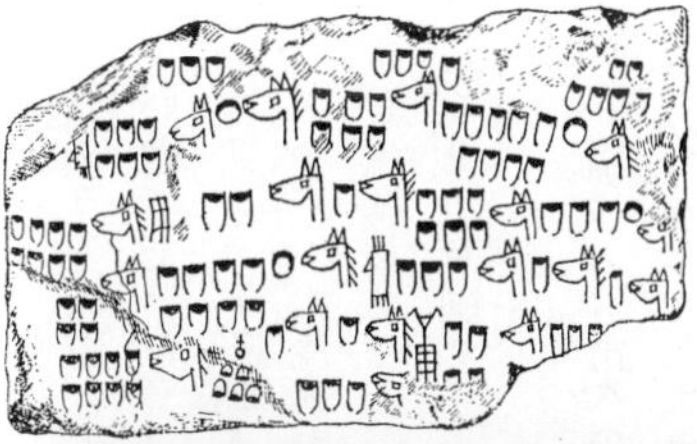

**（上）原エラム絵文字**　馬科の動物の会計簿らしい
**（下）女性像を装飾した銀製杯に刻まれているエラム線文字**（テヘラン国立考古美術館蔵）

い敵であった。

エラムに住む人々はシュメル人やアッカド人から見ると「東夷」であったが、なかなか手強い敵であった。

アッカド王朝とウル第三王朝の王たちはエラムに遠征を繰り返したが、エラムもまたメソポタミアへの侵入を止めることはなく、アッカド王朝滅亡の原因を作り、さらにはウル第三王朝を滅ぼした。その後もエラムはメソポタミアへの侵入をあきずに繰り返し、前七世紀の新アッシリア帝国アッシュル・バニパル王（前六六八―六二七年）の遠征によってようやく滅亡した。

『アッカド市への呪い』

神となったナラム・シン王は、傲慢《ごうまん》な王と見られていたようだ。前二〇〇〇年頃にシュメル語で書かれた文学作品『アッカド市への呪い』によれば、ナラム・シンがシュメルの最高神エンリルの聖都ニップル市を略奪し、エンリル神が祀られているエクル神殿を破壊するという大罪を犯したので、この不敬を怒ったエンリル神が山岳に住む蛮族グティ人をアッカド人に送り込み、アッカド王朝は滅亡を宣告されたのである。

実際にはナラム・シン王はエクル神殿を修復していたし、またグティ人が侵入したのは第四代ナラム・シン王の治世ではなく、第五代シャル・カリ・シャリ王の治世であった。

都市に住む文明人であることを誇りにしていたシュメル人やアッカド人にとって、蔑視していたグティ人に侵入されることは、屈辱的な、信じがたいできごとであった。ありえないできごとの原因を考えたとき、それは神の意思にちがいない、大神に対する不敬への罰であると合理化したのであろう。

### 山の大蛇グティ人

グティ人の民族系統はわからない。『シュメル王朝表』ではシャル・カリ・シャリ王が二五年支配した後は「誰が王であったか？　誰が王でなかったか？」と書かれ、第六代から第一代のアッカド王朝の王の名前が挙げられている。その後はウルク市に王権が移って、五王が三〇年支配した後で、王権は武力によって「グティ人の群れ」に持って行かれ、二一王が九一年と四〇日間支配したと書かれている。

アッカド王朝を衰退に追い込んだグティ人の支配を終わらせ、その王ティリガンを敗北せしめたウルク市の王、ウトゥヘガル王の王碑文（古バビロニア時代の写本）は次のように書いている。

エンリル神（に奉献する）
グティ、山の大蛇《おろち》・蠍《さそり》、神々に暴力を働く者、シュメルの王権を異国に運び去った者、シュメルの地を邪悪で満たした者、妻ある者から妻を奪い、子供のある者から子供を奪いし者、国土に邪悪と暴力をはびこらせし者、
国々の王、エンリル神は強き男、ウルク市の王、四方世界の王、その発言を取り消すこ

とのない王、ウトゥヘガルにその（＝グティの）名前を滅ぼすように命じた。（中略）

グティの王ティリガンはいう。私に刃向かう者はいない。彼はティグリス河両岸を占領していた。シュメルの南方で彼は耕地を封鎖した。北方では彼は道を閉じた。国土の道は長い雑草に覆われた。（中略）

この後、ウトゥヘガルはウルク市を出発し、途中、諸神殿で戦勝祈願の犠牲を捧げながら進軍した。

強き男ウトゥヘガルは（グティの）将軍たちを破った。

そのとき、グティの王ティリガンはただ一人徒歩で逃げた。彼が逃げた場所ダブルム市で、彼は（当初は）安全であった。（だが、）ダブルムの市民たちが、ウトゥヘガルがエンリル神が力を授けた王であることを知り、彼らはティリガンを助けなくなった。

ウトゥヘガルの使者はダブルムでティリガンと彼の妻子を捕らえ、手枷《てかせ》をかけ、目隠しをした。彼（＝ウトゥヘガル）はウトゥ神の足下にティリガンを横たえ、彼の首に足を置いた。

グティ、山の大蛇・蠍［……］彼（＝ウトゥヘガル）がシュメルの王権を取り戻した。

グティのティリガン王を破ったウトゥヘガル王は、『シュメル王朝表』によれば七年六カ月あまり支配したが、一代で終わり、部下の将軍であったともいわれるウルナンムがウル第三王朝を建てた。この新王朝には新たな脅威が今度は西方から侵入して来た。アモリ人である。

## 「西戎」アモリ人

アモリとはアッカド語の呼称で、シュメル語ではマルトゥという。「西方」の意味である。前二六〇〇年頃といわれるファラ文書には「エアギド、マルトゥ（人）」と書かれていて、この「エアギド」が確認される最古のアモリ人の個人名になる。

アモリ人はバビロニアに定住するとアッカド語の名前を名乗る例が多かったが、前二二—一六世紀のアッカド語文書にはアモリ語の名前も見られる。アッカド語は東方セム語だが、アモリ語は北西セム語に分類されている。たとえば「法典」で有名なハンムラビ王は「ハンム神は偉大である」を意味するアモリ語の名前である。

**マルトゥ神（左端）**　手に杖を持ち、ガゼルの上に乗る姿は遊牧の民マルトゥ（アモリ）人を象徴

のちのウル第三王朝時代にはアモリ人の侵入は勢いを増し、城壁を築いて侵入を阻止しなければならなかった。城壁建設は第二代シュルギ王（前二〇九四—二〇四七年頃）の治世に始まっていて、治世三七年の「年名」は「国の城壁が建てられた年」である。第四代シュ・シン王（前二〇三七—二〇二九年頃）の治世四年の「年名」は「ウル市の王、シュ・シン神が『それがティドヌム（＝アモリ人の一部族）を遠ざける』と呼ばれるマルトゥ（＝西方）の城壁を建てた年」である。

メソポタミアは周囲が開けていたので、前三〇〇〇年紀にはさまざまな人々が入ってきた。古くから共存していたアッカド人は別として、シュメル人にとって、ほかの人々は蛮族であり、追い払うべき勢力でしかなく、共存はありえなかった。

話が先に進んでしまった。ウル第三王朝の滅亡については第九章で話すが、そこでもう一度「東夷」エラムと「西戎」マルトゥに触れる。

殺伐とした話が続いてしまった。次章では少し時間を戻して、趣をかえて最古の才媛の話からはじめよう。

# 第七章
# 最古の文学者エンヘドゥアンナ王女
## 読み書きと学校

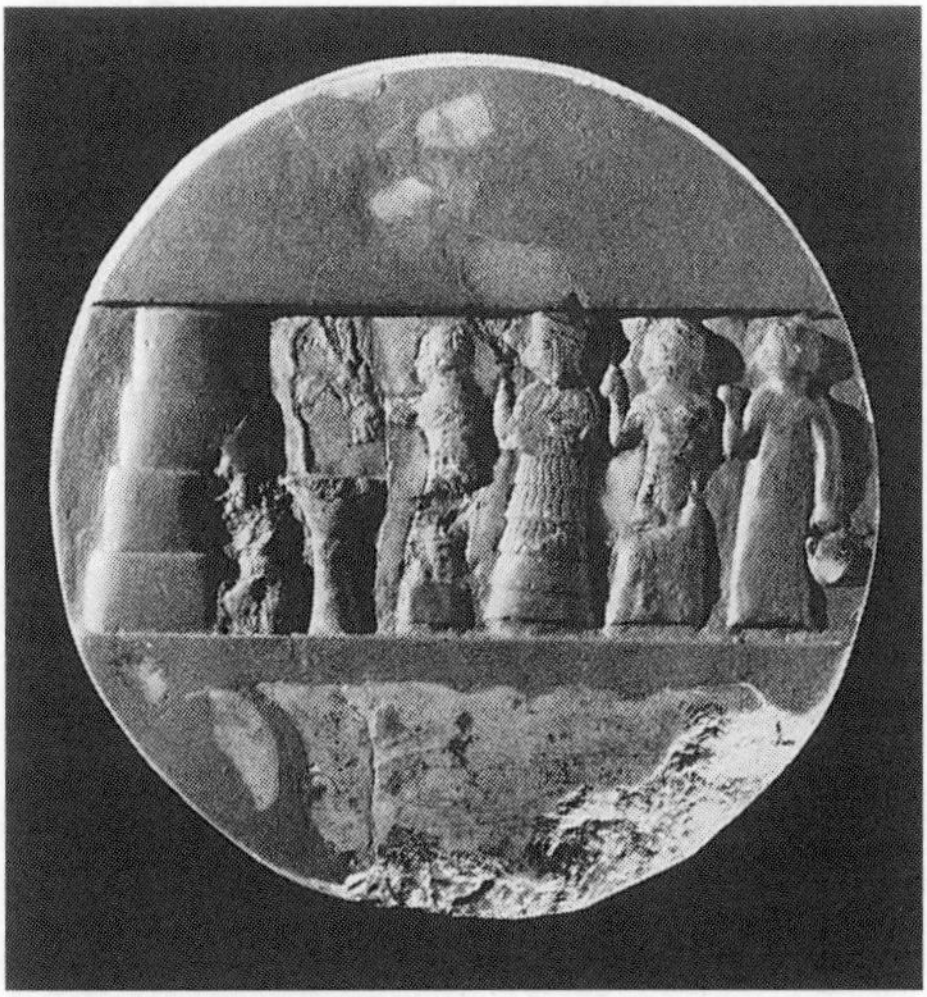

エンヘドゥアンナ王女の奉納円盤

人類の半分は女性であるが、歴史に登場する名前のある人物となると、ほとんどが男性で、古代史ではなおのことである。女性が記録されるのは男性とのかかわりにおいて、たとえば何某なる王の妻だとか、娘だとかいうときだけであって、その女性自身の能力に基づいてなにをしたかで記録されていることは少ない。

その数少ない例の一人を紹介しよう。ウル市出土の奉納円盤にその姿を見ることができる、アッカド王朝初代サルゴン王の娘エンヘドゥアンナ王女がその人であり、彼女は最古の文学者であった。

本章ではエンヘドゥアンナを端緒に、シュメルの知的世界を紹介しよう。

石灰岩、ウル市出土、前24－23世紀頃、直径26.5㎝、ペンシルヴェニア大学博物館蔵

## 王女・女神官・詩人

### エンヘドゥアンナ王女

最古の文学者エンヘドゥアンナ王女はアッカド王朝（前二三三四―二一五四年頃）初代サルゴン王（前二三三四―二二七九年頃）の娘であった。エジプトにくらべてメソポタミアの場合はその人物の面影を伝える物が残っていることは少ないが、王女の場合は、その姿を刻んだ「奉納円盤」が残っている。

「奉納円盤」はウル市からひどく壊された状態で、ウーリーによって発見されている。石灰岩製で、現在はペンシルヴェニア大学博物館に収蔵されている。円盤中央に帯状に浅浮彫が刻まれている。左端には四層のジグラトがそびえ立ち、その前では神官が聖水を祭壇に注いでいる。神官の背後に、二人の侍女をしたがえたエンヘドゥアンナが立っている。目鼻立ちがくっきりとした容貌であって、女神官にふさわしいかぶり物をして、シュメルの伝統的なひだのある衣服を身に着けている。右手首から先が破損しているが、鼻に手を置く、祈りの仕草をしているようである。

### 女神官

エンヘドゥアンナ王女はアッカド人であるが、その名前はシュメル語で「天において讃えられる（女）主人」を意味する。ウル市の月神ナンナ神に仕えるエン女神官であった。エン女神官の最も重要な役割の一つは「聖婚儀礼」への参入であって、ウル市の新年祭ではナンナ神の配偶神ニンガル女神の名代であった。

初代サルゴン王以来、アッカド王朝によるシュメル地方の支配は磐石《ばんじゃく》ではなく、シュメル諸都市の謀反に悩まされ続けた。第四代ナラム・シン王（前二二五四－二二一八年頃）への謀反のさいには、エンヘドゥアンナ自身もウル市から一時追放され、そのときにこの「奉納円盤」が壊されたようだ。

王女がエン女神官になる習慣はエンヘドゥアンナの後も続き、ナラム・シン王の娘も女神官になっているし、途中で断絶したものの、新バビロニア王国（前六

(上)エンヘドゥアンナ王女（左から２人目）
(下)エンアンナトゥムマ王女　ウル市のナンナ神に仕えるエン女神官。イシン第一王朝第４代イシュメ・ダガン王（前1953－1935年頃）の娘（ペンシルヴェニア大学博物館蔵）

二五—五三九年）最後の王、ナボニドス王（前五五五—五三九年）の娘まで続いていた。

現在わかっている限りでは王女が女神官になる例はエンヘドゥアンナが最古の例であるが、アッカド王朝になって始まった習慣ではなく、それ以前にもありえたと思う。ラガシュ市で、ウルナンシェ王朝創始者のウルナンシェ王は神殿に掲げる奉納額を作っていて、四枚残っているが、そのうちの一枚（四八ページ参照）では後継者である王子の前に娘アブダ王女の姿をやや大きく刻ませている。残り三枚（うち二枚は欠損箇所あり）の奉納額には女性の姿はなく、アブダ王女が女神官であったならば、この例外的な扱いは理解できるので、アブダ王女はエンヘドゥアンナ王女の先駆者ではなかったかと思われる。

## 最古の文学者

古来我が国で未婚の内親王が斎宮《いつきのみや》として伊勢神宮に仕えたように、王家の女性が神に仕えることは、時の王権の安泰を願うことでほかにもありえたが、エンヘドゥアンナ王女は女神官であるだけでなく、立派な文学者でもあった。

エンヘドゥアンナ自身はアッカド人だが、アッカド語のほかにシュメル語の読み書きができたようで、シュメル語で詩作をした。シュメルおよびアッカドの諸神殿を讃えた詩歌『シュメル神殿讃歌集』には「粘土板を結びつけた者（＝編纂者）（は）エンヘドゥアンナ（である）」と書かれているし、『イナンナ女神讃歌』も作っている。

『イナンナ女神讃歌』はイナンナ女神を「ニンメシャルラ」つまり「すべてのメの女主人」と呼びかけることから始まるが、これが当時の書名（後述）であった。

すべてのメの女主人、まばゆい光、
光輝でおおわれた正義の婦人、天と地の最愛の者、
アン神の聖娼、すべての大いなる装飾の（あなた）、
ふさわしい冠に魅了され、エン女神官にふさわしく
その手が（すべての）七つのメに達し、
私の女主人、あなたはすべての大いなるメの保護者です。

「私」つまり、エンヘドゥアンナ自身を語る部分はこうである。

まさに私が私の聖なるギパルにあなたの命令で入った、
私、エン女神官、私、エンヘドゥアンナ、
私は儀式用の籠を運び、私は歓呼の声をあげた。

古代メソポタミアで、文字の読み書きができ、バイリンガル（二カ国語常用者）であって、さらに文才もあったことを確認できる最古の人物はエンヘドゥアンナになる。

**識字率**

前三〇〇〇年紀におけるバビロニアあるいはシュメルの識字率（読み書きのできる人の割合）

がどのくらいであったかは不明である。ただし、高くはなかったことは確かである。きわめて限られた人々、つまり書記しか読み書きはできず、王といえども読み書きはできなかったようだ。

第三章で話したようにシュメルでは円筒印章が使用されていた。印章には所有者の名前が刻まれていることがあり、こうした印章の所有者は少なくとも自分の名前ぐらいはわかった可能性はあるが、名前以外の文字が読めたかとなると疑問である。

シュメルでは男性だけでなく、女性も円筒印章を持っていた。ニンバンダ、バルナムタルラのような后妃たちの円筒印章にはシュメル語で名前が刻まれていて、当然后妃たちは自分の名前ぐらいはわかったのではないだろうか。

では女性の識字率となると、男性よりは低かったであろうが、具体的にはわからない。古バビロニア時代のバビロニアには書記養成のための学校がいくつかの都市にあったことが確認されていて、シッパル市には女性の書記たちもいたことがわかっている。

また、マリ市のジムリ・リム王治世（前一八世紀頃）での、油支給の記録には九人の女性の書記が見られるが、油支給の量から見ると小間使い、清掃婦と同量であり、この場合の女性書記は高い地位にあったとはいえない。

一方、王家の女性たちは文字の読み書きを学びうる環境に恵まれ、文才のある女性は才能を開花できたようだ。エンヘドゥアンナ王女よりも後代になるが、ウル第三王朝（前二一一二―

二〇〇四年頃）初代ウルナンム王（前二一一二－二〇九五年頃）の后妃は王の戦死に際して哀歌を、そして第二代シュルギ王（前二〇九四－二〇四七年頃）の后妃は子守唄を作ったといわれている。

## 学校へ通う王

### 有能なシュルギ王

ウル第三王朝第二代のシュルギ王は有能な王であった。彼の四八年にわたる長い治世は「年名」からたどることができ、治世二〇年頃に諸改革をおこなっている。出土した行政経済文書の多数は治世二〇年代の後半以降に書かれ、中央、地方を問わず行政組織が整えられた。各都市の文書の形式、用語も統一され、度量衡も統一された。

治世二〇年の「年名」に「ウル市の市民が槍兵として徴兵された年」があって、この年に常備軍が作られたようだ。二〇年以降に外征についての「年名」が増え、なかでもフリ人征伐に力を注いでいる。

このようにシュルギ王は行政官としても軍人としても業績をあげているが、これは王が子供のときに学校で教育を受けたことと無縁ではないだろう。

## 学校へ通った王

「王讃歌」はウル第三王朝時代から古バビロニア時代にかけて作られ、統一国家が確立された時期において、王の偉大さをほめたたえることが目的であった。シュルギ王は自らを讃える『シュルギ王讃歌』を現在わかっているだけでも約二〇篇作っている。『シュルギ王讃歌』は長い期間にわたって写本が作られ、学校で教材として使われていた。

『シュルギ王讃歌B』によれば、

私（＝シュルギ）の少年の頃から、私は学校に属し、
シュメル語とアッカド語の粘土板で私は書記術を学んだ。
少年の誰一人、私のように粘土板を（上手に）書くことはできなかった。

シュルギは学校へ通って、シュメル語とアッカド語を学び、算数も習い、成績が良かったことを自慢している。またシュルギは、「私は五つの言語で答えた」とも書かれていて、語学の才能があったようだが、具体的にどのような言語であったかはわかっていない。

さらに、シュルギは優れた行政官、軍人であるだけでなく、ウル市およびニップル市にキウムン（＝アカデミー）を作り、文化活動の良き理解者でもあった。

## 帝王の識字率

東アジアでは中国の皇帝にしろ、日本の天皇であれ、文字の読み書きができることは自明の

理であって、そのうえで当該の帝王が能書か、詩才があるかなどといったことが云々《うんぬん》された。

一方、メソポタミアのみならず、古代オリエント世界では文字の読み書きができるか否かは帝王の必要条件というわけではなく、文字の読み書きは書記（役人）の仕事であった。

ウル第三王朝の王たちで文字の読み書きができたことがわかっているのはシュルギ王だけである。古代メソポタミアの帝王たちの識字率がどのくらいであったかはわからないが、高くはなかっただろう。まれに文字の読み書きができると、王はそのことを自慢した記録を残していることがある。

イシン第一王朝（前二〇一七―一七九四年頃）の第三代イディン・ダガン王（前一九七四―一九五四年頃）および第五代リピト・イシュタル王（前一九三四―一九二四年頃）は読み書きができたようで、後者は『リピト・イシュタル王讃歌』のなかで、書記術の守護神ニサバ女神から文字を学んだと自慢している。また、新アッシリア帝国（前一〇〇〇頃―六〇九年）のアッシュル・バニパル王（前六六八―六二七年）は文字の読み書きができ、自叙伝を書いている。この王については終章で詳しく話そう。

## 学校の生活

### 学校の「謎々」

天の如き基礎を持つ家、
水瓶《みずがめ》の如き基礎を持つ家は亜麻で覆われていて、
鵞鳥《がちょう》の如く（堅固な）基礎に建つ家、
開かれていない目を持つ者がそこに入り、
開いた目を持つ者がそこから出て来た。

その答え（は）「学校」。

シュメル語の「謎々」である。シュメルには書記を養成するための学校があった。学校の屋根には砂埃《すなぼこり》と熱暑を避けるために亜麻布がかぶせられていたようだ。

ユーフラテス河中流域のマリ遺跡では、バビロン第一王朝（前一八九四－一五九五年頃）のハンムラビ王（前一七九二－一七五〇年頃）に滅ぼされた、最後の王ジムリ・リムの王宮から粘土製の長い椅子が並べられた部屋が発見された。これは学校と考えられた。だが、教科書は発見されていない。

学校はシュメル語では、エドゥブバ「粘土板の家」と呼ばれ、書記つまり役人養成を目的としていた。官僚制の整ったメソポタミアやエジプトのような社会では役人は不可欠で、役人ともなれば文字の読み書きが必須《ひっす》条件であった。子供に文字の読み書きを教えることは親でもある程度まではできるが、それよりも子供を集めて、教えることの上手な大人が教えた方が合理的であると考えたようだ。それが「学校」の誕生である。

ウルク古拙文書にすでに文字の表のようなものが見られる。また、シュルッパク市（現代名ファラ）からも前二六〇〇年頃ともいわれる「神名表」が出土している。書記は神々の名前を書く必要があったので、こうしたリストはそのための教科書であろう。教科書が出土している

（上）マリ王宮で発掘された学校の教室跡　椅子が並び、小さな粘土板を入れる容器も見える
（下）学校の教室復元想像図

ことからウルク市やシュルッパク市にも学校があったと想像されるが、詳細はわからない。

### 世界最古の「謎々」

神々の名前だけが羅列されているリストを読まされ、神名が書けるように繰り返し習字を指導された生徒たちはたいくつであったと思う。生徒たちが面白く学びながら、神々の名前などを書けるようにするために工夫された教材が「謎々」であった。前項で紹介した「謎々」もその一つだが、さらに古い、前二四世紀頃の最古の「謎々」が発見されている。

一九六八年からラガシュ市のラガシュ地区（現代名アル・ヒバ）の発掘がメトロポリタン美術館とニューヨーク大学とによって始まり、多数の文書などが出土した。このなかに世界最古の「謎々」が含まれている。

この謎々では、都市の各地区にとって重要な運河名および守護神名に続いて、魚と蛇の名前が挙げられ、地区の名前を当てるようにできている。シュメル地方はペルシア湾岸の低地であって、河や運河そして沼地が入り組んでいて、夏は高温になる。こうした場所にはさまざまな魚や蛇が棲息していただろうし、また魚と蛇はトーテム（ある集団の象徴あるいは守護神となる特定の動植物）であったとも考えられている。

欠損箇所が多くわかりにくいが、一部を紹介しよう。

その運河はシララギン、その（守護）神は気高いナンシェ女神、その魚は「人を喰う」、

その蛇は［……］。（中略）
　その運河はエンア［ガル］、その神はアブズ（＝深淵）の大使者ヘンドゥルサグ神、その魚は蛇魚、その蛇には角がはえている。（中略）
　その運河は［……］、その守護神はエンリル神の大戦士ニンギルス神、その魚は［……］その蛇は［……］。

最初の「謎々」は、かいつまんでいえば「シララギン運河が流れ、ナンシェ女神が守る地区、その名前はなんでしょうか」となり、ここには答えが掲載されていないが、ナンシェ女神の名前が書かれていることなどから、答えは「シララ地区」になる。

次はラガシュ地区の守護神ヘンドゥルサグ神の名前が見えることから、答えは「ラガシュ地区」を指している。

最後の「謎々」にはニンギルス神の名前があり、ニンギルスはラガシュ市の都市神であるが、同時にギルス地区を守護する神でもあるから、答えは当然「ギルス地区」を指すことになる。

これらは、「謎々」の答えを考えながら、ラガシュ市の運河や神々の名前などを覚えられるように工夫されている。

## 元祖「学園もの」

学校についての詳しい情報は前三〇〇〇年紀のシュメル人が活躍していた時代からではなく、

前二〇〇〇年紀前半の古バビロニア時代の記録から得ることができる。その頃にはウル市、ニップル市、シッパル市などにも学校があった。

学校の構成員としては次のような人々が知られている。ウンミア「長」やアブエドゥブバ「粘土板の家の父」は現代の先生にあたり、シェシュガル「兄」は助手、ドゥムエドゥブバ「粘土板の家の子」は生徒になる。

また、元祖「学園もの」とでもいうべき、学校を題材とした文学も存在した。四作品が知られている。学校に通う生徒の一日を伝える『学校時代』、父と息子の質疑応答形式の会話から構成されている『父親と厄介息子』、二人の学生が討論する過程から間接的に学校の教科がわかる『口論する二人の生徒』および学校の卒業生が彼らの受けた教育を回顧する『監督官と書記の対話』の四作品である。

これらの文学作品の末尾には「学校で書かれた。ニサバ女神に栄えあれ」と書かれていることから、文学の創作も学校でおこなわれていたと見られる。ニサバ女神は書記術の守護神である。

### 『学校時代』

『学校時代』は前二〇〇〇年頃に書かれた短い作品で、作者は学校の先生であったと思われる。作品は二つの部分に分かれる。前半は生徒が学校における活動や経験を一人称で語るが、自分の家に先生を招いてからの後半の出来事は三人称で語られている。

以下に前半の一部を紹介しよう。

「生徒よ、君はずいぶん前からどこへ行っているのですか」

「ぼくは学校へ通っています」

「君は学校でなにをしていているのですか」

「ぼくは粘土板を大声で読み、お弁当を食べました。ぼくは新しい粘土板を作り、習字を書き終えました。学校が終わった後で、ぼくが帰宅すると、お父さんが座っていました。ぼくはお父さんに今日習ったことを暗誦《あんしょう》し、ぼくの粘土板を大声で読みました。お父さんは喜んでくれました。ぼくはお父さんの前に立ち、『のどが渇きました、水を下さい。おなかがすきました、パンを下さい。ぼくの足を洗って下さい、ベッドを出して下さい、ぼくは寝たいのです。朝にはぼくを（早く）起こして下さい、遅刻できないのです、先生に鞭《むち》で叩《たた》かれます』（といいました。）


朝起きるとぼくはお母さんの前に行き、『ぼくのお弁当を下さい、ぼくは学校へ行きます』といいました。お母さんが二枚のパンをぼくに下さったので、ぼくはお母さんにあいさつをします。（中略）

ぼくは（校舎へ）入って座り、そしてぼくの先生はぼくの粘土板を読みました。先生は『間違っている』といいました。そして先生はぼくを鞭で叩きました。（中略）

シュメル語の先生は『なぜ君はアッカド語をしゃべるのか』といいました。そして先生はぼくを鞭で叩きました。ぼくの先生は『君の文字は下手だ』といいました。そして先生はぼくを鞭で叩きました」（後略）

この生徒は誤字を叱《しか》られ、シュメル語の発音が悪くアッカド語を話しているようだと叱られ、そのつど鞭で叩かれた。さらに、この後も生徒は許可なくしゃべったといっては鞭で叩かれ、校舎を出たといっては鞭で叩かれ、とにかく散々な一日であった。

そこで生徒は父に先生をお招きして、もてなしてほしいと頼む。父は先生を家に招き、なつめやし酒を飲ませ、食事を出し、さらに新しい衣服などを贈って先生をもてなした。もてなされた先生は手のひらを返したように、この生徒をほめる。

後半に綴《つづ》られている内容はほめられた話ではない。叱られたからといって、先生をもてなしてほしいと父に頼む生徒も生徒なら、息子可愛さに先生を招待した親ばかの父も父、もてなされたことによって態度をころりと変える先生も先生と、三人が三人ともあきれたことである。

だが、人間は常に法令や道徳を厳格に遵守して、高潔に生きているわけではなく、このようなことはいつの時代、どこでもありうることで、むしろシュメルもそうだったかと、逆に現代の日本人の共感を呼ぶ話かもしれない。

## 弁当のパン

『学校時代』にしたがえば、食事は一日二回で、朝食は食べなかったようだ。生徒が昼食に持って行く弁当は二枚のニンダであった。ニンダは「パン」を意味するが、ほかに「食物」の意味もあり、絵文字は器の形であることから、最初は麦を粥《かゆ》あるいはオートミールにして食べていたようだ。

この器はウルク文化期（前三五〇〇―三一〇〇年頃）の遺跡から、一般的に大量に出土するベベルド・リム・ボウルの形であろうといわれている。ベベルド・リム・ボウルはろくろを使わずに、地面を掘りくぼめ、そこに粘土を押し付けて型作りした粗製の土器である。大量生産でき、日常使われたようだ。

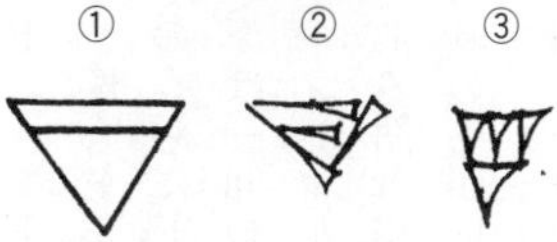


（上）ベベルド・リム・ボウル（大英博物館蔵）
（下）パンを示す文字の変遷　①古拙文字、②前2400年頃の楔形文字、③前1000年紀の楔形文字

パンの種類を表す名前は時代により変わったが、パンの焼き方や形はシュメル時代から現在までほとんど変化しなかったようである。現在のイラクで食べられているパンは、かまどで焼く平たい円形のパンである。シュメル時代にもパンはかまどのなかで薪を燃やした後のおき火を掻《か》き出して、熱い床や灰のなかで焼くか、かまどの内側に平らに伸ばした生地を貼り付けて焼いたらしい。

このパンはかまどの内側に「座らせた」こ

とから、ニンダ-ドゥルンドゥルンナと呼ばれたようだ。ドゥルンはシュメル語の動詞で、意味は「(複数の人を)座らせる、棲みつかせる」である。ニンダ-ドゥルンドゥルンナは典型的なパンとなり、そのうちにドゥルンドゥルンナが省略され、ニンダになったようだ。ニンダ-ドゥルンドゥルンナは一回の食事に二枚食べたようである。生徒が弁当に持って行ったのも、このニンダ-ドゥルンドゥルンナであっただろう。

パンの種類は、ある語彙《ごい》集に八六もの名前が記されているが、パン生地に使用された粉の種類となかに入れる具のちがいによる。たとえば「白い油入りパン」「黒い油入りパン」「並の油入りパン」のように一つ一つ名前がちがった。

シュメルには次のような諺がある。

貧乏人は死ぬべし、生きることができない。
パンがあれば、塩がない。塩があれば、パンがない。
(生きた)仔羊がいれば、肉がない。肉があれば、(生きた)仔羊がいない。

### 「書名目録」とシュメルの文学作品

ニップル市の学校には図書館があった。図書館はシュメル語でエイムグラという。エは「家」の意味である。イムグラは省略形で、正式名称イムグラギシュトゥク「大声を出して読まれる粘土板」に由来し、神殿で神官たちの教育のために使用した粘土板を指したようだ。

この図書館から「目録」が出土している。学校の図書館に収蔵されていたと思われる六二の作品を列挙した「書名目録」であって、このうち二〇作品は残存している。「書名目録」があったということは、それが必要なほど多数の文学作品があって、それを読む人々がいたということを意味する。シュメル人の知的水準の高さがうかがわれよう。

シュメルの文学の種類には神話、叙事詩、讃歌、知恵文学などがあったが、大多数は詩の形式であった。創作にはナル（讃歌を歌う歌手）や書記たちがかかわったようである。シュメルの学校では講義要綱は統一されていたらしく、ニップル市の学校と同一の文学作品がウル市の学校でも書き写されている。「目録」に記されている書名は、その作品の冒頭の数句がそのまま使われた。豊饒を司るイナンナ女神の死と復活が謳われた作品は現代では内容を

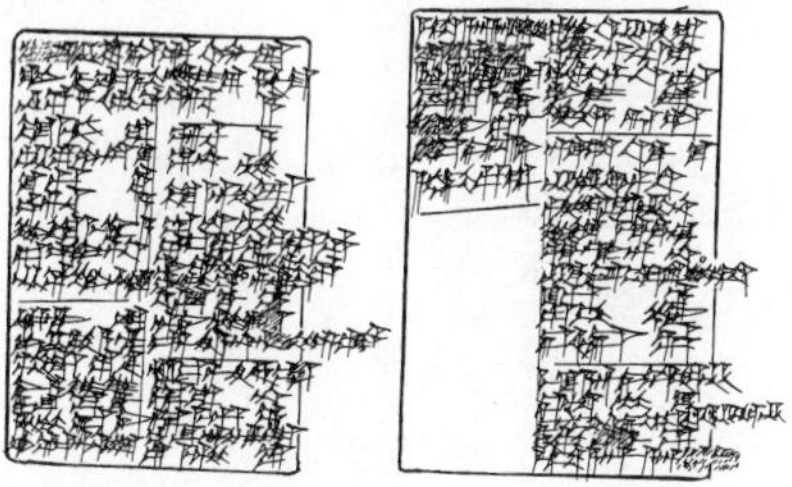

(上)ニップル市のジグラト　ウルナンム王が建立した。頂上の建造物はアメリカ隊の避難所
(下)ニップル市の学校図書館から出土した「書名目録」　はみ出している文字は粘土板の側面に書かれていることを表す。左・表面、右・裏面

要約した『イナンナ女神の冥界下り』と呼ばれているが、これは現代の学者が付けた書名である。「書名目録」には『アンガルタ、キガルシェ』(「大きな天から大きな地へ」の意味)と書かれている。なかには今日でも当時の書名で呼ばれている作品がある。バビロニアの創世神話『エヌマ・エリシュ』で、アッカド語で「上の方で(天が名付けられていなかった)ときに」を意味する。

ほかにも「書名目録」には『エンリル神と鶴嘴《つるはし》の創造』や『ギルガメシュとエンキドゥと冥界』などの一連のギルガメシュを主人公とした作品群、本章で話した『学校時代』や第二章で紹介した『農夫の教え』のような多様な書名が挙げられている。

ニップル出土の文学作品も含めて文学作品の多くは前二〇〇〇年紀の前半に書かれたものである。これらについては終章であらためて話そう。

### 詰め込み教育

現代日本のような「ゆとり教育」ではなく、シュメルの生徒たちは詰め込み教育を受けた。授業は厳しく、『学校時代』にも書かれていたように罰として鞭で叩かれることも度々あった。学校には一ヵ月三〇日のうち二四日通った。生徒にとっては毎日が実に「長い日」であった。六日の休みがあるが、そのうち三日は宗教上の休日だったので、本当の休日はたった三日であった。

もちろん義務教育ではなく、学校へ通えるのはごく少数の裕福な家庭の男子で、授業料は衣類など、ある種の贈り物であったようだ。厳しい勉学を無事修了すれば、書記になれた。書記になることは現代風にいえば役人になることで、社会の出世コースに乗れた。書記はシュメル社会のエリートであった。

なお、ウル第三王朝時代の円筒印章に見える「書記」の銘は、学校を修了した者の名誉号であるという。

### 読み書き算数

いつでもどこでも学校教育の基本は大きくはちがわない。文字の読み書きができ、正確な計算ができることが必要とされ、たいくつであっても同じ学習を繰り返すことで生徒に集中力や持続力などを植え付ける。長い人生を生き抜くのに、集中力と持続力は欠かせない。シュメルでも同様であった。

楔形文字の習字　「ア・ア・ア……」と繰り返し書かれている（𒀀＝ア）

授業は楔形文字の読み書きから始まった。生徒はまず楔形文字の習字をした。たとえば「ア」「メ」を繰り返し書いた粘土板や先生のお手本の文字を見て、生徒がまねて書いた粘土板も残っている。

面積の計算（ファラ出土　六十進法の掛け算）
計算の内容は下記の通り。

① 600sag gar-du×600$sa_2$=1080×3＋180×2=3600iku
② (60×9)(60×9)=1080×2＋180×4＋18×2=2916iku
③ (60×8)(60×8)=1080×2＋180×8 =2304iku
④ (60×7)(60×7)=1080＋180×3＋18×8 =1764iku
⑤ (60×6)(60×6)=1080＋180＋18×2 =1296iku
⑥ (60×5)(60×5)=180×5 =900iku
⑦ (60×4)(60×4)=180×3＋18×2 =576iku
⑧ (60×3)(60×3)=180＋18×8 =324iku
⑨ (60×2)(60×2)=18×8 =144iku
(◯=1080iku ✣=180iku ∘=18iku)

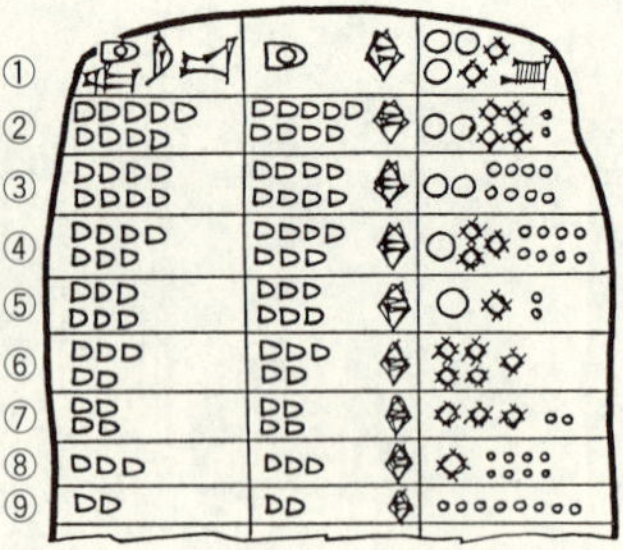


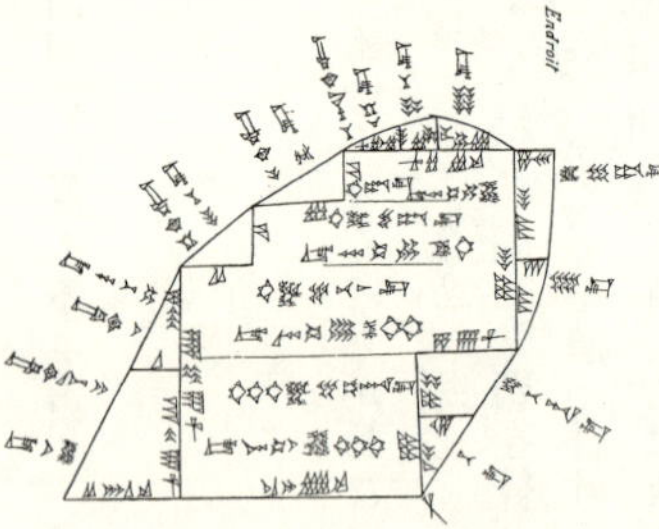


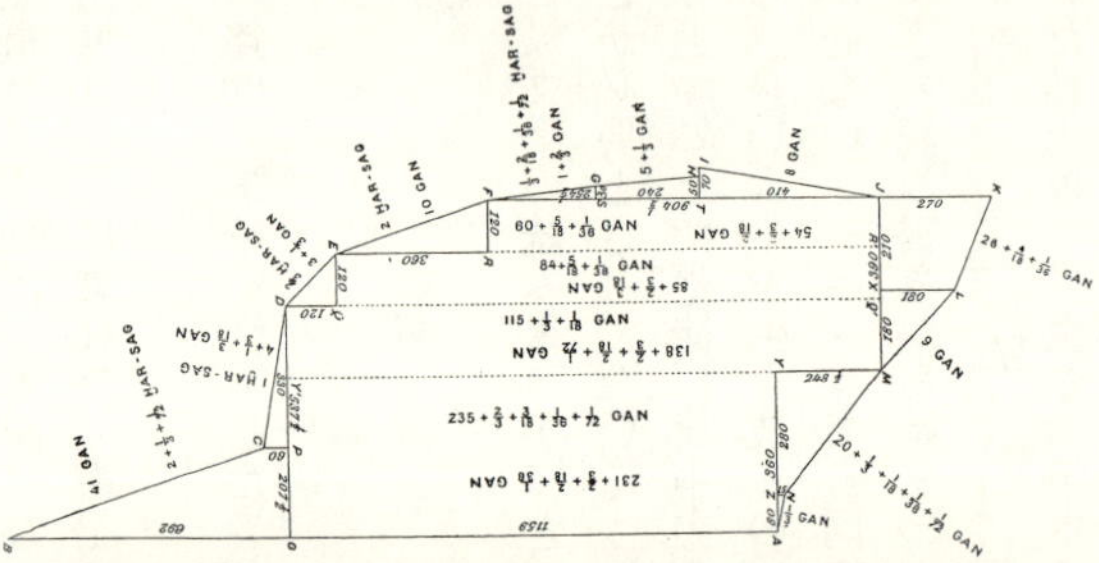


**畑の図面**　方形の単純な形ばかりとは限らず、複雑な形の畑を測量することもある。楔形文字で書かれた上の図面を現代の数式になおすと下のようになる。ウル第三王朝時代

学校では、前二〇〇〇年紀前半の古バビロニア時代になってもシュメル語が教えられていた。日常生活ではアッカド語が使われているなかで、書記ならば古典のシュメル語も読み書きできなくてはならなかった。シュメル語の諺は次のようにいっている。

シュメル語を知らない書記、彼はどんな種類の書記なんだ。
シュメル語を知らない書記、彼はどこから訳《やく》を持って来ようというのか。

また、書記は物品の管理や畑の検地などをおこなうことから、六十進法を使ってさまざまな算数の練習問題も解かなくてはならなかった。畑の面積の計算、与えられた寸法の壁を作るのに必要な煉瓦の数、ある傾斜面を作るのに必要な土砂の量などがわからないと書記は務まらなかった。

**検地想像図**　記録をとっている書記。そばでしゃがんでいる人は粘土板を作っている

シュメル語、算数のほかにも、法律、神話、讃歌、祈《き》禱《とう》文、音楽などのさまざまな教科が教えられていた。

### 教材『猿の手紙』

生徒は単調な「詰め込み教育」だけではついて来られない。実際に落ちこぼれる生徒も出たのであろう。そこで、生徒になんとか興味を持たせるために、教師は前に紹介した「謎々」のほかにも苦心して教材を作ったようだ。これが学校で創作が盛んだった

牡牛の背に乗っている尾の長い猿　笛を吹いているのも猿のようだ。ウル王墓出土円筒印章印影図

理由の一つでもある。

シュメルには『猿の手紙』と呼ばれる作品がある。手紙が書かれた時代はウル第三王朝時代で、主人公のウクビはエリドゥ市の楽師長のペットの猿である。理由は書かれていないので不明だが、ウクビの母はウル市の、多分王宮に飼われている。ウクビは離れている母に手紙を出す。猿の手紙だが実際に使われていた手紙の書式に則《のっと》っている。この作品は手紙の書き方を教える教材として使われていたようだ。

旅人よ、旅人よ、我が母にいって下さい。
ウクビが語ることを話して下さい。
ウル市はナンナ神の都市の栄えであります。エンキ神の都市（の）豊かさ、エリドゥ市で私は楽師長の家のなかに閉じ込められています。私は「イギツムラ」だけで養われています。どうか新鮮なパンやビールへの渇望から私を死なせないで下さい。特使にそれらを私の元に持たせてやって下さい。
至急です。

仔猿は辛い目にあっていると母猿にこぼし、「イギツムラ」（意味不明）を餌に与えられてかなわないので、王宮の使節を通して新鮮なパンとビールを送ってほしいと母にねだっている。

書記になるためにさまざまな難しい勉強をしている生徒にとって、この作品は息抜き用の教材であったようだ。愛嬌《あいきょう》のある猿が人間の真似《まね》をして猿まねの手紙を書いたと考えると、勉強に疲れた生徒の顔も思わずほころんだであろう。

ウクビは「猿」をさすシュメル語であることから、動物の猿と解釈されたが、「ウクビ」という名前の人間の手紙であるとの説もある。手紙のなかのほかの単語についてもさまざまな解釈が出されている。また、動物寓話《ぐうわ》の典型的故郷であるインドから本物の猿が連れて来られたときに、人間の如く行動する動物を描く趣向がシュメルにもたらされたとする考え方も出されている。

## 猿の貢物

メソポタミアでは、猿は土着ではなく、外国から連れて来られた。パンダの例を引くまでもなく、珍しい動物を贈り物とする外交は古くからあった。すでにアッカド王朝における「王家の動物園」のことは紹介したが、新アッシリア帝国のシャルマネセル三世（前八五八年―八二四年）のもとに、エジプトから貢物として大小の猿が連れて来られたことが「黒色オベリスク」に浮彫で刻まれている。

だが、エジプトからだけでなく、インド方面からも猿はメソポタミアに入って来ていた。ウルク市のアン神の聖域から出土した猿と思われる小さな像（護符か）や、「ウル王墓」のメス

**猿回し**　テラコッタの額断片、ウル市出土、前1900年頃（大英博物館蔵）

カラムドゥグ王の墓から出土した銅製のピンの頭にしゃがんでいる猿像は、ともにアジア産の手長猿ギボン種といわれている。また、円筒印章に見られる猿には長い尾があるので、アジア産のハヌマーン種と考えられ、メソポタミアでは複数の種類の猿が知られていた。

ウル第三王朝第五代イッビ・シン王（前二〇二八―二〇〇四年頃）の治世二三年の年名は「ウル市の王、イッビ・シン神に（その山国の）人々が愚かな猿を連れて来た年」であって、この「年名」については、実際にイッビ・シン王が猿の貢物を喜んで、「年名」にしたといわれている。だが、ちがう解釈もあって、翌年にはウル第三王朝は滅亡していることから、ここでの猿は敵の勢力を象徴していて、この「年名」はエラムの侵入との関連を示唆しているとする考え方もある。

シュメル人の教育システムや知的活動は現代人にも理解できるが、現代人には理解しがたい古代世界に生きるシュメル人ならではの考え方もある。次章ではシュメル人の信じていた神々の世界について話すとしよう。

# 第八章
# 紹介する神
## 神々の世界

**グデア王の碑**

親密な間柄を披露しようということになれば、現代ならツーショットの写真になるだろうか。二人並んで写った写真は、仲の良いことが一目瞭然である。シュメル人が生きていた頃にはもちろん写真はない。そこで、神と親しい間柄であることを示したい王は浮彫の図像を作らせた。

「グデア王の碑」断片には、左端にグデア王、その前に彼の個人神ニンギシュジダ神の姿が刻まれている。この場面にはシュメル人が信じていた、人と神々とのかかわりが現れている。本章では、「グデア王の碑」の絵解きをしながら、シュメル人と神々の世界の一端を紹介しようと思う。

石灰岩、テルロー（ラガシュ市、ギルス地区）出土（?）、前22世紀頃、高さ70㎝、ベルリン国立博物館蔵

## 個人の神

### 「グデア王の碑」

ベルリン国立博物館の一つ、ペルガモン博物館には、高さが一五メートルもあるバビロン市の「イシュタル門」が復元されていて、博物館の目玉の一つとなっている。一八九九年に始まり、最終的にはR・コルデヴァイが指揮したドイツ隊が発掘した「イシュタル門」にはラピスラズリを思わせる濃紺の地に、バビロニアの最高神マルドゥク神の随獣ムシュフシュと天候神アダド神の随獣である牡牛が彩釉煉瓦できらびやかに浮き出ていて、新バビロニア時代（前六二五―五三九年）のバビロン市の栄華がしのばれる。

「イシュタル門」をくぐると、「行列道路」の両側壁も再現されていて、イシュタル女神の随獣ライオンがこれまた彩釉煉瓦で表現されている。その両側の陳列室には、古代オリエント世界の遺物が集められ、シュメルの陳列室に足を運ぶと、本章で話す「グデア王の碑」を見ることができる。地味な灰色石灰岩の碑断片であるから、よほど興味のある人でないと見逃すかもしれない。

ところで、この碑の話をする前に、グデア王といえば丸彫像がよく知られているので、少し寄り道をして話しておこう。

## 「ミスター・シュメル」グデア

グデア王の像は「シュメル人」を説明するさいにしばしば引き合いに出されている。グデアの名前は知らなくても、丸顔に太い眉と大きい目、太い鼻梁《びりょう》をしたグデア王の像を本やテレビで見たことがある人はけっこういると思う。グデアこそ現代において最も有名なシュメル人で、「ミスター・シュメル」とでもいえよう。

グデアは前二二世紀頃にラガシュ市を支配した王であった。アッカド王朝第五代シャル・カリ・シャリ王（前二二一七―二一九三年頃）の治世にグティ人が侵入し、アッカド王朝が衰退して行ったことは第六章で話したが、その混乱のなかでラガシュ市はペルシア湾方面の交易活動で繁栄していた。この時期の王の一人がグデア王で、この時期は「グデア時代」とも呼ばれている。

「イシュタル門」
（ベルリン国立博物館）

戦争が続いているような状況下では、王は自分の像ばかり作ってはいられない。外国産の石材を使って作られた多数のグデア王の像が残っていることこそ、当時の経済的繁栄を証明することになる。現在、グデア王の像を最も多く収蔵しているのはルーヴル美術館である。

（左）小さなグデア
（中）噴水の壺を持つグデア
（右）肩幅の狭いグデア（3体ともルーヴル美術館蔵）

## ルーヴル宮殿が終の住処

一八七七年に開始された、ド・サルゼック率いるフランス隊によるラガシュ市のギルス地区（現代名テルロー）発掘作業によって、グデア王の像は多数出土した。現在では、立像、座像あわせて約三〇体の石像が残っている。実際に作られた像の数はもっと多かったであろうし、これだけ多くの自分の像を作った王はシュメルではグデア以外にはいないと思う。

　これらの像は、第五章で話した、祈願者像あるいは礼拝者像と呼ばれる像である。グデアの容姿は写実的というよりも、神々の恩寵《おんちょう》を得た理想的な美しい王の姿を表現したという。彫像全体に細かく神経が行き届いている。なかでも手の指は我が国の仏像が持つ美しい指とも比較されることがある。指の繊細な表現はシュメルの彫刻師が洗練された美意識や高度な技術を持っていたことを示していて、超一級の美術品である。

グデア王の像には、像を破損する者への呪詛《じゅそ》を刻んだりもしたが、皮肉なことに完全な姿のグデア像は少ない。像は全く同一ではなく、特徴がある。その特徴をとって「肩幅の狭いグデア」「肩幅の広いグデア」「設計図を持つグデア」（二四二ページ図参照）「噴水の壺を持つグデア」「小さなグデア」のようなニック・ネームが付けられている。

エンメテナ王の像（第五章）とはちがい、もはやカウナケスを腰に巻くことはしていない。グデア時代には衣服のデザインが変化していて、縁に襞《ひだ》がある衣服を片方の肩にかけて巻きつけるように着ていた。エンメテナの像では腕および背中に王碑文が刻まれていたが、グデア像の多くは、衣服の前後に端整なシュメル語楔形文字で王碑文が刻まれている。碑文は像がマガン（現代のオマーン）から輸入した閃緑岩で作られたとか、グデアが像に命令を与えて神殿に奉献したなどと書かれており、史料としても貴重である。

グデアの部屋（ルーヴル美術館）

ルーヴル美術館では一室にグデア王の像が集められ、ゆったりしたスペースに展示されている。洗練されたグデア王の像はルーヴル美術館と違和感なく、その存在感を示している。グデア王の像の前に立ったとき、王碑文のある像は、シュメル語を読んでいると、像の閉ざされた唇が開いてグデア王が直接語りかけてくるような気がする。

ルーヴル美術館は本来王の宮殿であったので、四〇〇〇年以上前の文明社会に生きた、グデア王の像が終《つい》の住処《すみか》とするにはふさわしいかもしれない。

グデア王の碑

### 「紹介の場面」

さて、寄り道をしてしまったが、「グデア王の碑」に戻ろう。この碑は石灰岩に浮彫で図像が刻まれていて、テルローから出土したと考えられる。前で話したように、シュメルの碑は頭頂部が半円形で、下部は縦長の長方形を数段に分けて浮彫の図像を刻む形式であるが、「グデア王の碑」は下部が欠損し、頭頂部の半円形を構成する部分の断片が残存している。頭頂部の高さは約七〇センチメートルあり、碑が完全な状態ならばかなり大きかったと思われる。

刻まれている図像は、第三章ですでに話した、円筒印章の図柄で好まれた「紹介の場面」である。礼拝者が個人神によって大神に紹介される場面である。

「グデア王の碑」では、礼拝者がグデアであり、個人神はニンギシュジダ神、そして右から二柱目で椅子に座る大神は欠損してその姿はほとんど見えないが、ニンギルス神と考えられる。グデアは左端に立っている。顔面は欠損しているが、右手には祈願するさいに持つといわれるなつめやしの葉を持ち、衣服の裾の部分にシュメル語で「グデア、ラガシュ市のエンシ（＝王）」と三行に分けた楔形文字が刻まれている。

## 個人神

王碑文からグデア王の個人神がニンギシュジダ神であったことはわかっている。図像の上では、ニンギシュジダ神は両肩から冠をかぶった蛇が飛び出しているのが特徴であり、「グデア王の碑」でもこうした姿が刻まれている。

個人神とは特定の個人を守護する神である。

特定の個人を守護する神がいるという考えが存在したのは古代メソポタミアだけではない。古代ギリシアの哲学者ソクラテス（前四七〇／四六九－三九九年）にはソクラテスがなにごとかをなさんとするときに警告するダイモン、つまり守護神がついていた。また、古代ローマのユリウス・カエサル（前一〇〇－四四年）も、ダイモンを持っていた。『プルタルコス英雄伝』によれば、このダイモンはカエサルの生涯を支え、カエサルが暗殺された後には暗殺者たちを復讐して回ったことが知られている。これらのダイモンの固有の名前は知られていない。

また、我が国では、藤原氏の氏神《うじがみ》である春日神や源氏の氏神である八幡神のように、個人ではないが一族を守護する氏神が知られている。

「彼の神はシュルウトゥル神」

シュメル人は、人間は神々のために働く存在と考えていた。大いなる神々は恐れ多く、王といえども人間は大神に願い事をするときには、個人神の紹介を必要とした。

個人神は大神ではなく、低い位の神で、普通は名前を知られていない。だが、名前を知られている例外があった。ラガシュ市やウル市の王の個人神である。

ラガシュ市のエンアンナトゥム一世の個人神はシュルウトゥルという名前であった。初期王朝時代第ⅢB期（前二五〇〇―二三三五年頃）ラガシュ市の王碑文には「彼の神はシュルウトゥル（である）」という表現がしばしば書かれている。

エンアンナトゥム（一世）、イナンナ女神により命令されし者、彼の（個人）神シュルウトゥル神はラガシュ市のエンシ（＝王）、エンアンナトゥム（一世）の生命のために永遠にイナンナ女神に向かってイブガル神殿において鼻に手を置く（＝祈る）べし。

「彼の神」とは個人神を指す。イブガル神殿に祀られているイナンナ女神に長寿を祈願するさいにエンアンナトゥム一世は自ら直接祈願するのではなく、個人神であるシュルウトゥル神に祈願してもらった。

ウルナンシェ王朝の王たちはシュルウトゥル神を「彼の神」としていた。したがって、エンアンナトゥム一世だけでなく、王家の男性たちは個人神を共有していた。王家の女性たちも個人神を持っていたはずだが、生家の個人神が生涯の個人神になるか、結婚後には夫の個人神を自らの個人神としたかは、史料不足でわからない。

ウルイニムギナ王はニンシュブル女神、グデア王はニンギシュジダ神を個人神としたが、前者はシュルウトゥル神、後者はニンアズ神も個人神とした。個人神は一柱ではなく、複数持つことができた。こうした、名前のわかっている個人神は冥界の神であった。

なぜ、冥界の神が個人神になりえたのだろうか、以下で考えてみよう。

## 現世利益の神

シュメルの庶民がどのような信仰を持っていたかを直接物語る史料はほとんどないが、王たちの信仰から推察すれば、庶民もまた個人神を信じていたにちがいない。

シュメル人は神々を敬い、死者が赴く冥界を信じ、そして死者の供養を厚くおこなっていた。だが、エジプト人のように死後の復活や永生を夢見て、「あの世」のイメージを膨大に膨らませることをシュメル人はしなかった。

シュメル人は「あの世」のことよりも、まず「この世」のことを大切に考えた。都市に住んで食糧が豊富であっても、シュメル人の日々の生活は不安であったと思う。まだ科学的知識の蓄積はなく、洪水のような自然災害は、大神たちの意思によるものと考えていた。都市国家間の戦争や異民族の侵入もあった。疫病の流行もあっただろう。年金のような社会保障などはもちろんない、明日どうなるかわからない社会であった。

そのうえ、シュメルは未開社会ではなく文明社会である。役人たちもいた社会で、組織内の権力闘争などの人間関係の煩わしいこともあったにちがいない。「人間はしょせん一人」、孤独なものと割り切って生きて行くにしても、生きて行く上での支えがほしい。それが個々の人間を守護してくれる個人神ではなかったか。

個人神はどこにいるかといえば、普通は人の体のなかにいると考えられていた。「不運な人」とは「彼の（個人）神が彼を離れた」からだといわれる。こうしたことから「個人神」とは「人の運」を神格化したものであると説明されることもある。シュメルの文学作品『人とその神』は個人神を失った人間が病気になるなどの不運に陥ったが、個人神を正しく祀ることで、不運を免れた次第が書かれている。

個人神は「あの世」ではなく、「この世」をより良く生きるために生み出された現世利益の神で、個人神を持っていることで人は安心立命の境地に近づけたのではないだろうか。

シュメル人のみならずアッカド人もそして前二〇〇〇年紀以降のメソポタミアの人々も個人神の信仰を持ち続けた。第三章ですでに話したように、円筒印章の図柄で個人神によって大神に紹介してもらう「紹介の場面」が好まれたのは、円筒印章の持つ護符の機能にぴったりの図柄だったためである。

## ギルガメシュ神

ギルガメシュもまた人間が個人神として選びうる冥界の神であったし、古バビロニア時代には個人神としていた人が実際にいたと考えられている。ギルガメシュの名前は「祖先は英雄」という意味で、冥界とかかわりのある祖先崇拝を示唆しており、低位の冥界の神と考えられていた。

アッカド語で書かれた『ギルガメシュ叙事詩』は邦訳も出ているが、これに先立つシュメル語で書かれたギルガメシュを主人公とした一連の作品がある。ギルガメシュはシュメル語ではビルガメシュと呼ばれ、しかも神であることを示す限定詞が付けられているので、神であった。現在残っている文書でも、ギルガメシュの名前には神であることを示す限定詞が付けられ続けているので、仮にギルガメシュが実在した人間であったとしても、初期王朝時代（前二九〇〇—二三三五年頃）のかなり早い段階のことであって、早期に神としてみなされるようになったのだろう。

ギルガメシュの名前が出てくる初期王朝時代の文書としては、まずファラ（古代名シュルッパク市）から出土した前二六〇〇年頃ともいわれる「神名表」が挙げられる。「神名表」は前章で話したように、学校で生徒が神々の名前を書く練習をするための教科書で、そのなかにギルガメシュ神の名前が含まれている。

**仔ライオンを抱いている伝ギルガメシュ像**　右の人面有翼牡牛像とともに王宮入り口の守護神であった。ドゥル・シャル・キン（現代名コルサバード）遺跡出土、前8世紀（ルーヴル美術館蔵）

初期王朝時代、ラガシュ市最後の王ウルイニムギナ王治世における祖先供養の祭礼のさいに、ギルガメシュ神およびギルガメシュ神の「土手の神殿」に犠牲が捧げられた記録がある。神々への犠牲の記録は高位の神から順番に記録され、ギルガメシュ神は後の方に出てくることから低位の神と考えられる。

ウル第三王朝（前二一一二－二〇〇四年頃）初代ウルナンム王（前二一一二－二〇九五年頃）のある王碑文冒頭に「エンネギ市のエン（＝主人）にして、彼のルガル（＝王）なるギルガメシュ神に」と書かれている。エンネギ市はエンヘドゥアンナ王女（第七章参照）が編纂した『シュメル神殿讃歌集』にもその名前が見られ、冥界の女主人であるエレシュキガル女神が司る「冥界に届く太い管のある所」として謳われている。シュメル人は死者を供養するには供物を捧げる必要があると信じていて、この粘土製の土管に供物を投げ込めば、冥界にいる死者へ届くと考えていた。

また、ウルナンム王の死後まもなく書かれたとされる『ウルナンム王の死と冥界下り』では、

「ギルガメシュ神は冥界のルガル（＝王）」と書かれ、「冥界のエンリル神」であるネルガル神やエレシュキガル女神、ドゥムジ神などとともに冥界の神々に数えられている。

## さまざまな合成獣

山の間から朝登ってくる太陽神ウトゥ

### 蛇神ニンギシュジダ

シュメルの神々の図像は初期王朝時代に属するものはほとんど残っていないが、アッカド王朝時代（前二三三四－二一五四）以降は円筒印章の図柄を中心に残っている。これらの図像が人間ではなく、神であることは角のある冠でわかり、誰であるかを示すためのなんらかの特徴を持っていることもある。たとえば、水を司るエンキ神は魚が泳ぐ流水が両肩から出ているし、太陽神ウトゥは両肩から光線が出ている。

個人神のなかで、固有の名前と図像が残っているまれな例がグデアの個人神ニンギシュジダ神である。ニンギシュジダ神は両肩から角のある冠をかぶった蛇が飛び出していて、「グデア王の碑」ではグデアの前に立ち、右手でグデアの手首をしっかりつかむ一方で、左手で「鼻に手を置く」、つまり祈りの仕草をしていることから、ニンギルス神にグデア

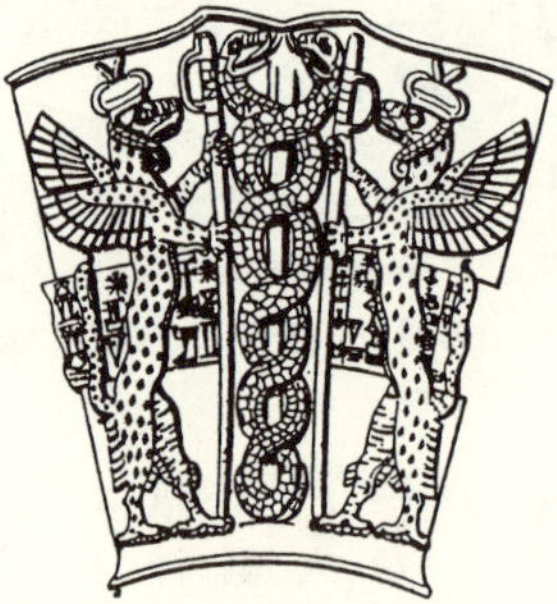

（上）グデアがニンギシュジダ神に奉献した鉢の図像
（下）境界柱としてのヘルメスの原型　側面にカドゥケウス、背後に生命樹

を紹介していたことを表現している。

ニンギシュジダは「真理の樹の主人」を意味し、植物神であった。同時に冥界の神で、蛇神でもあり、豊饒神でもある。湿地の多いシュメルの地にはさまざまな種類の蛇がいた。蛇はその姿から嫌われ、恐れられることが多いが、民族によっては悪魔に、あるいは神に与《くみ》すると考えられた。ヘブライ人は前者であり、シュメル人や日本人は後者になる。日本では今でも家に蛇が棲みつくとその家にはお金が入るとか、弁天様のお使いは蛇だと信じている人々がいる。できることならば、「この世」において良い暮らしがしたいと思うのは現代の日本人だけでなく、シュメル人も同じであった。そうであったから、冥界の神にして豊饒神であるニンギシュジダ神は個人神にふさわしい神であった。

ニンギシュジダ神の両肩から飛び出している冠をかぶった蛇は、「異形のもの」ムシュフシュであり、第三章で紹介した「グデア王の円筒印章印影図」ではグデアの背後にムシュフシュがしたがっている。そして、この「異形のもの」ムシュフシュが、ニンギシュジダ神の前身であったとも考えられている。

グデアがニンギシュジダ神に奉献した鉢には二頭のムシュフシュが左右対称に向き合い、真ん中に二匹の蛇が絡みあった図像がある。この二匹の蛇が絡みあった図像をカドゥケウスと呼ぶ研究者もいる。カドゥケウスつまり二匹の蛇が絡みついた杖といえばギリシア神話に登場するヘルメス神の持ち物（アトリビュート）を指す。

ヘルメスは神々の使者にして、商業、泥棒などの守護神で、死者の魂を冥界に導く冥界の神としても知られている。その本源的な姿は蛇身であって、豊饒のダイモンであったという。男根、蛇、生命樹などの図像はいずれも豊饒観念に帰結すると考えられる。

ニンギシュジダ神とヘルメス神は冥界の神にして豊饒神という類似した神格を持つが、両神の間に伝播のような接点があったのだろうか。こうした疑問を解明するのに、歴史学からの実証的研究は難しいが、民俗学などの方面からは研究できるかもしれない面白いテーマである。

## 「異形のもの」

人間は古今東西「異形のもの」が好きなようだ。

その姿に爬虫類《はちゅうるい》の要素が見られる、怪獣映画の主人公ゴジラは一九五四年（昭和二十九年）に生まれた。一億四〇〇〇万年前の恐竜であったゴジラは水爆実験によって目覚めたとされる。この年の春にはアメリカが中部太平洋、ミクロネシアのビキニ環礁で大掛かりな水爆実験をおこない、第五福竜丸が被災した。広島・長崎への原爆投下から一〇年もたっていない時期であり、日本人の多くは悪夢を思い出していた。原水爆反対運動は盛り上がり、反対の意味を込めてゴジラは生み出されたという。当初はモノクロームの画面のなかで、口から放射能を吐く凶暴な敵役であったゴジラはやがて両義性を持つようになり、ときには正義の怪獣となって愛され続けている。ゴジラは我が国のみならずハリウッド映画にまで登場したが、民族性のちがいか、一神教徒には日本のゴジラの持つ両義性は受け入れられなかったようで、ハリウッド版のゴジラは単なる凶暴な蜥蜴《とかげ》のおばけであった。

古代エジプト人は動物頭に人間の身体を合体させた神々を生み出したが、古代メソポタミア世界でも、人々が想像力を発揮してさまざまな動物の諸部分を結合させた「合成獣」とも呼ばれる多数の「異形のもの」が生み出された。「異形のもの」は「合成獣」の呼称が示唆しているように、全くの想像の産物ではなく、メソポタミアの人々になじみのある動物を組み合わせ、ゴジラと同じようになんらかの主張を盛り込んでいたと考えられている。

シュメル人も多数の「異形のもの」を生み出したが、そのなかでシュメル人の活躍した時代が終わっても生き抜き、大神の随獣として出世して行ったムシュフシュと、逆に仇役《かたきやく》に転落したアンズーとは対照的であった。

## 出世した竜、ムシュフシュ

（上）さまざまなムシュフシュ
（左）マルドゥク神と随獣ムシュフシュ

爬虫類を基本とした「異形のもの」は世界各地に見られる。たとえば西欧世界のドラゴンや中国の「竜」がよく知られている。

ムシュフシュは「バビロンの竜」として最もよく知られたメソポタミアの霊獣である。この章の冒頭で話した「イシュタル門」を飾っている彩釉煉瓦で作られたムシュフシュの図像は蛇の首と鱗《うろこ》状の胴、ライオンの前脚そして鳥の後脚を合成した姿である。

ムシュフシュはシュメル語で「恐ろしい蛇」の意味である。ムシュフシュは古くはエシュヌンナ市の都市神ニンアズ神の随獣であった。アッカド王朝時代（前二三三四―二一五四年頃）あるいは前二〇〇〇年紀前半の古バビロニア時代にティシュパク神の随獣になった。さらにラガシュ市ではニンアズ神の息子ニンギシュジダ神の随獣ともなり、ムシュフシュは円筒印章の図柄などに登場した。

バビロン第一王朝（前一八九四―一五九五年頃）のハンムラビ王（前一七九二―一七五〇年頃）がエシュヌンナ市を征服した後で、ムシュフシュは出世してバビロン市の都市神からバビロニアの最高神に出世したマルドゥク神の随獣となり、後にはマルドゥクの子であるナブ神の随獣にもなった。

ムシュフシュはさまざまな姿で表現されたが、その本質は豊饒神と密接にかかわっている。これが後代までムシュフシュが生き延びた理由であろう。

冥界

ムシュフシュは冥界の神の随獣から、バビロニアの最高神の随獣へと出世したが、シュメル人の冥界は仏教やキリスト教などの「地獄」とはちがう。

シュメル人は世界を三分し、天、地および地下に分けた。天には神々、地には人間が住み、地下には地上の生命の源であるアブズ「深淵」と「冥界」を配した。

シュメル語では「冥界」をクルあるいはクルヌギという。クルは文明国を指すカラムに対して野蛮な国であり、フルサグ「山」ともいわれ、農作業可能なカラムに対して山岳地方、乾燥した荒野をも含んでいた。「冥界」はクルヌギ「戻ることのない国」ともいわれ、生前のおこないの善《よ》し悪《あ》しにかかわらず、死者が一律に赴く世界であった。

「人は死んだ後にどこへ行くか」は古来重い宗教的命題であった。善行を積んだ人間と悪行をおこなった人間では死後ちがう世界へ行くとする考え方は、仏教やキリスト教などでこの世における倫理の問題と絡めて説かれた。だが、ホメロスの叙事詩『オデュッセイア』に見られる古代ギリシア人や記紀神話に見られる古代日本人も、生前のおこないの善し悪しにかかわらず原則として一律に死者の赴く世界があると考えており、それが「冥界」（「黄泉国《よみのくに》」）と呼ばれていた。このように、「冥界」については、シュメル人だけでなく世界各地で考えられている。

## 霊鳥アンズー

「グデア王の碑」では欠損しているが、ニンギルス神の腕の付近にはアンズー鳥が多分刻まれていたと思われる。

「ライオン頭の鷲」アンズー鳥はシュメルで好まれた「異形のもの」の一つで、特に初期王朝時代の円筒印章などで翼を大きく広げたアンズー鳥の左右対称の図像を見ることができる。アンズーはシュメルの神話では霊鳥であって、大気が持つ力の神格化あるいは雷雲の化身で、その鳴き声は雷鳴となって轟《とどろ》くとされた。シュメルの文学作品『エンメルカルとルガルバンダ』でも人間の運命を定める霊鳥として登場する。

## 霊鳥から怪鳥へ

現在わかっている限りでは、最古のアンズー鳥は前三〇〇〇年紀はじめの円筒印章の図柄に見られ、長い頸《くび》を絡めた二匹の怪獣の上を横向きに飛

**最古のムシュフシュとアンズー鳥**
円筒印章印影図

んでいる。この怪獣はムシュフシュの古い形ともされている。また古代エジプト第一王朝初代ナルメル王（前三〇〇〇年頃）によるエジプト統一を表した「ナルメル王のパレット」に刻まれている怪獣と同一視され、シュメルとエジプトの交流を物語るともいわれている。

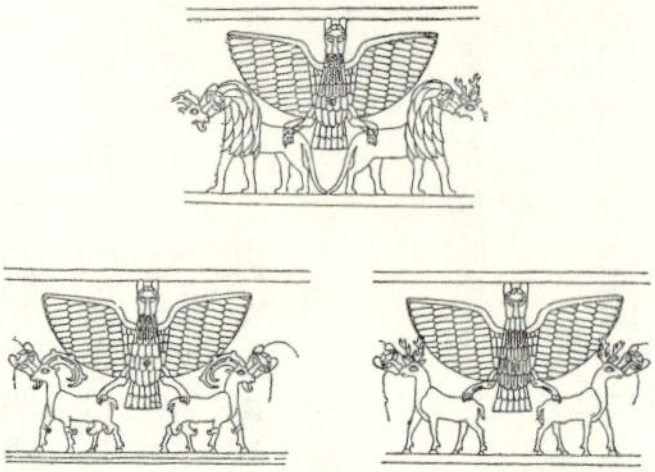

**（上）ナルメル王のパレット（部分）**（エジプト博物館〔カイロ〕蔵）
**（下）エンメテナ王の銀の壺に描かれていたアンズー鳥**　アンズー鳥を真ん中に左右対称にライオン（上）、野生山羊（左）、牡鹿（右）を配している

ラガシュ市のエンメテナ王の銀の壺には興味深い図像が見られる。アンズーを真ん中にライオン、牡鹿、野生山羊の三組が左右対称に刻まれている。野生山羊はニンギルス神の父エンキ神、牡鹿は母ニンフルサグ女神、ライオンはニンギルス神自身を象徴すると考えられる。ライオンがニンギルス神を象徴するのならば、ではアンズーは誰を象徴するかといえばエンリル神である。エンリル神はシュメル・パンテオンの最高神であって、大気の神である。翼を大きく広げたアンズー鳥は大気の神エンリルにふさわしい。

さて、「グデア王の碑」に刻まれていたアンズー鳥は左右対称ではなく、自然な姿の鷲に近いアンズー鳥だったと思う。グデア時代には、ニンギルス神はエンリル神の子と考えられ、アンズー鳥はニンギルス神の象徴であった。

アンズー鳥が雷雲の化身であるとすると、雷雲は豊旗雲《とよはたぐも》のような美しく穏やかな雲ではなく、雨をもたらす激しい力の象徴でもあり、アンズー鳥は善悪両方の要素を本来含んでいた。ウル第三王朝時代のアンズー鳥の性格は霊鳥と怪鳥の両方見られるが、前二〇〇〇年紀になるとアンズー鳥はズー鳥と呼ばれ、ニヌルタ神（ニンギルス神と同一神）によって退治される怪鳥に成り下がってしまう。

## 最高神の交替

### 都市神ニンギルス神

「グデア王の碑」では、その姿はほとんど欠損しているが、椅子に腰掛けた大神はグデア王が支配したラガシュ市の都市神ニンギルス神である。都市神はその都市を守護する最高神であって、理念上は都市を支配する「真の王」である。

ニンギルスとは「ギルス（地区）の主人」の意味であって、ニンギルス神は戦の神であり、雨や嵐を司る農耕神でもあった。

シュメルの神々の名前で、ニン「女主人」がつくと、たとえばニンフルサグは「山の女主人」、ニンマフは「偉大な女主人」を意味し、女神である。ところが、厄介なことにニンがつ

**設計図を持つグデア**　膝の上にはエニンヌ神殿平面図が載せられている（ルーヴル美術館蔵）

く男神がいる。たとえば、「ギルス（地区）の主人」を意味するニンギルス、「真理の樹の主人」ニンギシュジダそして「医師なる主人」ニンアズは皆男神である。なぜ男神の名前にエン「主人」でなく、ニンがつくか明確な説明はできない。

### 神意をうかがう占い

グデア王は都市神ニンギルス神のために、エニンヌ神殿を建立した。ほかの神々のためにも、神殿を建立していて、神殿建立は王の務めの一つであった。

ニンギルス神の意を受けたグデアがエニンヌ神殿を建立するいきさつはルーヴル美術館に展示されている大きな円筒碑文A、Bに記録されている。「エニンヌ神殿建立縁起」とでも呼べる長い物語で、このなかには建築にかかわる儀礼などのさまざまな情報が含まれている。

占いについても語られている。シュメル人にとって、神意を知ることは大切であった。「戦争をする」「神殿を建てる」など、なにをするにも神意をうかがうために占いがおこなわれていた。

　シュメルで用いられた占いの一つは内臓占いであった。あらかじめ、うかがう内容を決めておき、羊や山羊の内臓を観察して、色、形、こぶの有無などで吉凶を判断した。

　ラガシュ市のウルナンシェ王の王碑文には「彼は内臓占いでウルニミンをナンシェ女神の夫に任じた」と書かれている。これはナンシェ女神に仕える神官あるいは「聖婚儀礼」での女神の夫（九八ページ参照）を選任するために、内臓占いがおこなわれた記録である。

　グデア王はエニンヌ神殿を建立するさいに、二種類の占いを組み合わせて神意をうかがっている。夢占いと内臓占いである。夜、神殿へ出かけて、グデアは犠牲を捧げて祈り、横になって眠る。すると、ニンギルス神が夢に現れて神殿建立を命じたが、グデアは「夢が私にもたらしたこと、私はその意味がわからない」と、夢の意味を「夢解き」を司るナンシェ女神に解いてもらう。その上で、「彼はさらに白い山羊を調べる。彼は山羊を調べた。彼の占いは吉であった」と内臓占いをして神意を正しく把握することに努めた。

## 残っていない神像

　グデア王が建立したエニンヌ神殿には当然ニンギルス神の像が祀

**肝臓占いの模型**　占い師を養成するための模型

られていたはずである。どのような姿をしていたのだろうか。

神々の姿は円筒印章の図柄からわかることは前に話した。ところが、神殿にあったご本尊の実物は全く残っていない。

神像を作っていたことは間違いない。初期王朝時代第ⅢB期ラガシュ市では、ウルナンシェ王の王碑文には次のように書かれている。


ウルナンシェ、ラガシュ市のルガル（＝王）にして、グルサル市の子（＝市民）であるグニドゥの子がナンシェ女神の神殿を建て、力強い女主人ナンシェ女神（の像）を生んだ（＝作った）。エシュギルス聖所を建て、シュルシャガナ神（の像）を生んだ（＝作った）。


シュメル人は神像の制作を、「何某なる神を生んだ」と表現している。

同時代のラガシュ市の祭礼では、おもに女神像だが、衣服や装飾品などの類を奉献した記録があって、神像に衣服を着せて飾り立てていたようである。

神像の素材としては石、銅、青銅、木などが挙げられる。どれもメソポタミアにはない貴重な物であった。

神像は神殿に安置されるほかに、祭礼時には担ぎ出されることもあった。我が国の祭礼では神像ではなく神輿《みこし》が担がれる。神輿は英語ではポータブル・シュラインつまり持ち運びできる神社である。新バビロニア時代（前六二五－五三九年）にはバビロン市の新年祭でも「行列道路」を神像が担がれて行進したことが知られている。石や金属製の神像では重くて運べない。

木で作られたと考えられ、木材はタマリクス（ギョリュウ属）の木であったようだ。湿気の多い土地柄で木製の像となれば、今日まで残ることは難しい。

## ニンギルス神の姿

「グデア王の碑」に話を戻そう。その姿がほとんど欠損している大神の前には流水の表現があり、足下にはライオンが一頭いる。大神が誰かを特定するさいに、この二つが手がかりになる。グデアの円筒碑文A（ルーヴル美術館蔵）には、ニンギルス神の姿が次のように描写されている。

私（＝グデア）の夢のなかに一人の男がいた。彼の大きいことは天の如く、彼の大きいことは地の如くであった。彼は彼の頭については神であった。彼の腕についてはアンズー鳥であった。彼の下半身については洪水であり、彼の左右についてはライオンが臥《ふ》していた。

この文章の後で、グデアの夢を解いたナンシェ女神が「その人はまさしく我が兄ニンギルスである」と語っていることから、この大きな男はニンギルス神であることがわかる。そこで「グデア王の碑」の欠損箇所には、神であることを表す角のある冠をかぶって、椅子に腰掛けた大きいニンギルス神の姿が刻まれていたと考えられる。

「グデア王の碑」では、大神ニンギルス神は二柱の家来の神をしたがえている。前方に長い杖を持っている神と背後に立っている神である。

## シュメルの神々の王

ニンギルス神はラガシュ市の都市神つまり主神であったが、一方でシュメル全体のパンテオンでは最高神であるエンリル神の子とされ、「エンリル神の戦士」と称されていた。「戦士」と訳されるシュメル語はウルサグといい、本来は「先頭の犬」の意味であり、牧羊犬を指す。羊の群れを統括する賢く勇敢な犬のイメージである。

ニンギルス神をはじめ多くの神々がしたがうエンリル神が、シュメルの「神々の王」であるが、最初からエンリルが王として君臨していたかといえば、そうではなかった。

シュメルの神々の世界では、前三〇〇〇年紀のはじめにはアン神が最高神であった。アンとは楔形文字で「天空」を意味する。同じ文字が神も意味し、神を意味するときはディンギルと読む。ほかの神々は神であることを示す限定詞ディンギルを付けるが、アンにはそもそもこの意味があるので限定詞を付けない。

## エンキ神と女神たち

最古の神々の王については異説もある。次に紹介する説では、エンキ神こそが最古の神々の王であったという。要約すると次のようになる。

ウルク文化期（前三五〇〇—三一〇〇年頃）には、最古のシュメル・パンテオンは女神たちによって支配されていた。この時代には、都市の理念上の支配者は女神たちであった。誕生を司る女神ニンフルサグ、ニントゥそしてガトゥムドゥグ、穀物の女神ニサバとニンスド、家畜の女神ニンスン、魚と水鳥の女神ナンシェ、性愛の女神イナンナ、治癒女神グラそして死を司るエレシュキガルなどである。

こうした女神たちの夫として、最古のパンテオンの主神エンキ神が擬せられる。エンキは男性の生殖力の神格化で、真水と創造的知性を司る神でもあった。

エンキ神と女神たちのもとに、天空神アン、月神ナンナおよび太陽神ウトゥの三柱の天体の神がしたがっていたが、時が経つにつれ、男神の重要性が増して、新しい世代の神々が興った。ニヌルタ、ニンギルス、シャラそして、アシュギなどで、これらの新世代の神々は通常は戦の神であって、主要な女神たちの息子でもあった。

これは魅力的な説であって、『エンキ神とニンフルサグ女神』神話でエンキが女神たちと次々浮気を繰り返す神話の背景としては説明がつく。古い起源を持ち、解釈の難しいエンキ神の起源を説明する面白い説であるが、まだ確証されてはいない。

神々の研究は難しく同時代の史料からたどることはなかなかできない。そこで、宗教学、神話学、民俗学などの研究方法を使うことにならざるをえない。

## 天空神から風神への政権交代

アン神からエンリル神への政権交代は『エンリル神と鶴嘴《つるはし》の創造』神話などのなかで語られている。エンリルが万能の鶴嘴を創造する物語であり、冒頭で次のように語られている。

原初の海が天と地を一つに結合している宇宙的な山を生んだ。人間と同じ姿のアン（天）は男性、キ（地）は女性であった。アンとキの結婚が大気の神エンリルを生み、次にエンリルは天を地から分離した。天を運び去ったのは父アンであったが、エンリル自身は母であるキを運び去った。エンリルが母なる大地と結合したことで、宇宙の生成、人間の創造および文明の樹立のための舞台が用意された。人間には農耕させるために鶴嘴を与えた。

宗教学者M・エリアーデは神々の世界の政権交代を、「天界の至上神は未開社会に認められるが、進歩した社会では忘れられる一方、農業の発達が神の階級組織に根本的変化をもたらし、母なる女神とその配偶神が浮上して来るためである」と説明している。

### 神々の会議

エンリルはシュメル語で「主人（エン）・風（リル）」の意味で、名前の通り風や大気を司る。またエンリルは「力」を象徴し、「荒れ狂う嵐」「野生の牡牛」と呼ばれ、嵐や権力を象徴した。エンリルは王権授与の神であった。一方、アンは権威を象徴した。

『大洪水伝説』や『ウル市滅亡の哀歌』などによれば、エンリル神が祀られているニップル市のエクル神殿で神々の会議が開かれ、神々および人間に関する問題が議論された。アンが指導者で、「運命を決定する七柱の神々」が発言した。会議の終わりに「採決。神々の会議の約束。アンとエンリルの命令」と決議され、エンリルが執行した。

エンリルは破壊的な力を司り文学作品『アッカド市への呪い』『ウル市滅亡の哀歌』のなかでは、国家の滅亡や異民族の侵入はエンリルの所業とされている。

エンリルは個々の都市国家の上に君臨する「国々の王」「神々の父」であった。

| シュメル | アッカド | 属性 |
|---|---|---|
| アン | アヌ | 天空神 |
| エンリル | エンリル | 大気神 |
| エンキ | エア | 深淵の神 |
| ナンナ | シン | 月神 |
| ウトゥ | シャマシュ | 太陽神 |
| イナンナ | イシュタル | 豊饒神、戦神 |

アッカド王朝になっても、エンリルの権威は維持され、エンリルは王権の授与者であった。シュメル人、アッカド人ともに、その最高神はエンリルであって、両民族のパンテオンは一致していた。たとえば上の表のようにである。

前二〇〇〇年紀末期になると、バビロン市の都市神マルドゥクが神々の玉座に就き、バビロニアの最高神となる。

また、アッシュル神は「アッシュル市は王なり」というように、アッシュル市そのものの神格化であったが、前一三世紀頃にエンリル神と結びつき、新アッシリア帝国（前一〇〇〇頃―六〇九年）の国家神としてメソポタミア全土に君臨した。

さて、次章ではエンリル神の所業によって異民族が侵入し、シュメル人のウル第三王朝が滅亡する話をしよう。

# 第九章
# 「バベルの塔」を修復する王
## 統一国家形成と滅亡

**ウルナンム王の碑**

古代オリエント文明の優れた遺物といえば、大英博物館、ルーヴル美術館、ベルリン国立博物館のようなヨーロッパの大博物館に圧倒的多数の遺物が収蔵されている。これはイギリス、フランスそしてドイツが19世紀、ことに後半に展開した帝国主義政策に基づき西アジア世界を侵略し、発掘競争がおこなわれたことに由来する。

アメリカは発掘競争への参入が遅れた。それでも1888年にはペンシルヴェニア大学がニップル市の発掘に着手し、これを手始めに続々と発掘隊が送られるようになった。ペンシルヴェニア大学はアメリカにおけるメソポタミア研究の中心機関の一つで、博物館には佳品が収蔵され、「ウルナンム王の碑」もその一つである。

本章ではウルナンム王が碑に刻んで自慢した「ジグラト」の話をしよう。

石灰岩、ウル市出土、前22世紀頃、幅152㎝、ペンシルヴェニア大学博物館蔵

## ウル第三王朝とジグラト

### ウルナンム王

ウル第三王朝はシュメル人が建てた最初にして最後の統一王朝であった。『シュメル王朝表』によれば、サルゴン王が創始したアッカド王朝は一一王、合計一八一年、それからウルク第四王朝五王、合計三〇年、その後にグティ人によるメソポタミア南部支配が始まる。グティは二一王、合計九一年の支配の後、ウトゥヘガル王（ウルク第五王朝）によって倒されるが、そのウトゥヘガルは一代限りであって、彼の臣下であったウルナンムがウル第三王朝を興した。ウルナンム王は一説によれば、ウトゥヘガル王の弟あるいは息子で、ウトゥヘガルの将軍であったが、ウル市で独立した。

ウルナンムはグティ人の侵入で混乱したシュメル・アッカドの地を再統一すると、ウル市のジグラトのみならず、諸都市の神殿を再建し、運河の開削に尽力している。また、『ウルナンム「法典」』を制定し、王讃歌を作り、「正義の牧人」と称した。

### ウル第三王朝の支配

ウル第三王朝は東地中海沿岸からイラン高原にいたる広い地域を支配下に組み込んだが、その支配は均一ではなかった。

中核となるのはシュメル・アッカドの地であった。だがウル市の王朝にしたがうとはいえ、各都市の独立志向は根強かった。最高神エンリルを祀ることでなんとか統一を維持していたが、すでに第二章で紹介したようにニップル市など諸都市はウル市とはちがう月名を使用していた。

シュメル・アッカドの外側には貢物を持って来る服属国があり、西方ではマリやエブラ、東方ではマルハシやアンシャンなどが朝貢にやって来ていた。

さらにその外側の、グティ人の侵入経路であったティグリス河東岸地域、ディヤラ河および大小ザブ河流域は軍事的に重要視された地域であった。

| 王　名 | 前　年頃 |
|---|---|
| 1　ウルナンム | 2112－2095 |
| 2　シュルギ | 2094－2047 |
| 3　アマル・シン | 2046－2038 |
| 4　シュ・シン | 2037－2029 |
| 5　イッビ・シン | 2028－2004 |

ウル第三王朝の王たち

ウル第三王朝は約一〇〇年と短期間であったが、第二代シュルギ王治世後半以降に膨大な数の行政経済文書が記録された。各地から出土していて、現在約四万枚が公刊されているが、まだ多数の文書が未解読のままである。

「ウルナンム王の碑」

ウル遺跡に残るジグラトは、すでに初期王朝時代に建立されていたが、ウル第三王朝初代ウルナンム王が修復、拡大した。このジグラトはエテメンニグル（「畏怖《いふ》をもたらす基礎の家」の意味）と名づけられ

（上）1956年当時のウルのジグラト正面階段
（下）ウルのジグラト復元想像図（ウーリーによる）

ていた。

　ジグラトの修復・拡大を目で見える形で記録したかったウルナンム王は一面の碑を作っている。「ウルナンム王の碑」はアッカド王朝時代の「ナラム・シン王の戦勝碑」のように碑一面に一つの場面を刻むのではなく、「エアンナトゥム王の戦勝碑」などと同様の、表裏数段に分けて場面を刻んだシュメルの伝統的な碑の形式に則っていた。幅は一・五メートル、完全ならば高さが約三メートルもあっただろうという石灰岩製の大きな碑であった。現在は数枚の小さな断片がペンシルヴェニア大学博物館に残るだけである。

　半円形の頭頂部に刻まれていた欠損部分の図像については、おおむね次のように想定されている。

　左端にはウル市の都市神にして、月神であるナンナ神、右端には玉座側面に子供の足とおぼしきものが見えることからナンナ神の配偶神であるニンガル女神が座し、二人のウルナンム王が鼻に手を置いて、礼拝している。一回の儀式をていねいに二場面に分けて表現したようだ。

神々の上方には「豊饒」を象徴する、流水の壺を持った神々が飛翔《ひしょう》していて、この神々こそがシュメルの「飛天」であるともいわれている。

上から二段目はよく残っている。左右対称の図像で、右端にはナンナ神、左端にはニンガル女神が座っていて、紹介役のラマ女神をしたがえたウルナンム王が左右それぞれに聖樹なつめやしの木に灌奠《かんてん》の儀式を執りおこなっている。

ナンナ神からウルナンム王が受け取っているものについては二通りの解釈が出されている。一つの説では、王権の象徴である王杖、腕輪および神殿建立のための綱であるという。

もう一つの説によれば、王は耕地の測量者であり、神殿の建設者であることから、測量用の棒と縄であるという。

同じようなものを『ハンムラビ「法典」』碑頭頂部の浮彫で、ハンムラビ王がシャマシュ神から受け取っていることから、後者の説の方が妥当と思う。

ウルナンム王の碑

**工事道具を担ぐ王**

上から三段目右端にもウルナンム王の姿が残っている。ここではナンナ神に導かれて、工事道具を肩に背負い、ジグラト修復に出かけるウルナンム王の姿が刻まれている。道具は重いようで、背後の従者が支えている。

シュメル人の考えでは人間は神々の労働を肩代わりするために作られた。また王は都市国家の真の主人である都市神のために神殿を建てるなどの責務があった。統一国家ウル第三王朝の王は各都市の主神殿を再建、修復し、祭儀権を掌握していた。王の責務を明示するため、王自身が労働する様子が描かれているのである。

(上)ニンガル女神とウルナンム王
(中)ナンナ神とウルナンム王
(下)シャマシュ神とハンムラビ王
『ハンムラビ「法典」』碑上部浮彫

上から四段目も小さな断片が残るだけだが、はしごと煉瓦の壁面が見られる。はしごをかけて煉瓦を積む工事となれば、ジグラトの工事である。四段目には煉瓦を入れた籠を頭上に載せた人々が刻まれていたのだろう。

頭上に籠を載せた人をギリシア語でカネフォロスという。「籠担ぎ」を意味し、本来は古代ギリシアで神殿に供物を運ぶ女性を指したが、シュメルのカネフォロスは神殿建立のために煉瓦を籠に入れて運ぶ人であった。

すでに初期王朝時代第ⅢB期（前二五〇〇－二三三五年頃）ラガシュ市のウルナンシェ王が、奉納額（四八ページ参照）のなかで煉瓦を入れた籠を頭に載せた浮彫像を刻んでいる。

カネフォロスの姿をした定礎埋蔵物の像もある。

「定礎埋蔵物」とは神殿や宮殿などの記念的建造物を建設したさいに、そのことを後世に伝えるために施主が工事のはじめに建造物の基礎部分に納めた物を指すが、メソポタミアで発掘をおこなうと建造物からさまざまな「定礎埋蔵物」が出土する。メソポタミアを中心に古代オリエント世界でおこなわれたこの習慣は、現代の「定礎碑」につながっているという。日本でも高層マンションやビルディングの正面入り口付近に「定礎」と刻んだ石板がはめ込まれているのをしばしば

**工事道具を担ぐウルナンム王**　ウルナンム王の碑上から３段目

見かける。

時代、地域により特徴があるが、南部メソポタミアから出土するのは単に粘土板や石板に楔形文字の碑文が書かれただけのものから、銅や青銅で作られた神、人そして動物の姿をした像に碑文が刻まれたものと多様である。

初期王朝時代ラガシュ市のウルナンシェ王はアラバスターや銅で男性像（多分王自身を表していると考えられる）を作り、地面に突き立てるために下半身を釘状にして、その周囲に王碑文をシュメル語でたとえば次のように刻んでいる。

ラガシュ市のルガル（＝王）にして、グニドゥの子、ウルナンシェがエシュギルス聖所を建てた。

（上）定礎埋蔵物（メトロポリタン美術館蔵）
（下）カネフォロス　ウルナンム王の定礎埋蔵物の像（大英博物館蔵）

このような碑文が刻まれた「定礎埋蔵物」が出土すれば、神殿を特定するさいに役立つ。

こうした定礎埋蔵物としてのカネフォロスは、初期王朝時代には見られないが、グデア時代以降にカネフォロスの青銅ないしは銅の像が残っている。下半身が釘状の像と足つきの像があり、ウルナンム王のカネフォロス像もある。

## 「年名」

「年名」にも神殿建立が登場する。

初期王朝時代ラガシュ市では行政経済文書末尾にたとえば「ラガシュ市のエンシ（＝王）、ルガルアンダ、（治世）一（年）」のように、年を治世年で表記していたが、次第にその年あるいは前年に起きた重要事件で年を表すようになった。これを「年名」という。現在わかっている限りでは前二四世紀頃、ウルク市のエンシャクシュアンナ王が「年名」を採用した最古の王であり、「エンシャクシュアンナがキシュ市を攻囲した年」がその年名である。

よく知られているのはバビロン第一王朝第六代ハンムラビ王（前一七九二―一七五〇年頃）の「年名」である。四三年分の「年名」がわかっていて、そこからハンムラビ王がなにを重要と考えていたか、そして王一代の業績もわかる。ハンムラビ王の関心は国外では戦争であり、国内では運河開削や神殿建立などの神々にかかわることを重要視していた。

ウルナンム王の「年名」もそのすべてが知られているわけではないが、たとえば次のような

「年名」がわかっている。

ニングブラガ神の神殿の基礎が置かれた年

イシュクル神のニンディンギル女神官が占いによって選ばれた年

ウル市の城壁が建てられた年

ア・ニントゥ運河が掘られた年

これが「年名」として記憶されるべき、ウルナンム王の功業であった。

「バベルの塔」

「エテメンニグル」はウルナンム王が修復、拡大したときは三層のジグラトであった。基底部は六二・五×四三メートルの長方形で、三層の高さは二一メートルであった。粗製の日乾煉瓦を中核として、表面はアスファルトを挟み込んだ厚さ約二・五メートルの焼成煉瓦で覆われている。壁面は凹凸をつけた控え壁で装飾され、頂上には小さな祠《ほこら》があった。

シュメルの地は沖積平野なので、石材はない。あるのは泥だけで、その泥から煉瓦を作り、日乾煉瓦あるいは焼成煉瓦を使い分けて、豊富にあるアスファルトを接着剤として使ってジグラトを建てていた。

バビロニア南部は一面の平野で、少し高い建造物ならば遠くからも目立った。高い基壇を持つ宗教的建造物は古くからあった。ウルク市では前三〇〇〇年紀初頭にアン神のための高基壇

（通称「アヌのジグラト」）が建造され、その上に、壁が白い漆喰《しっくい》で塗られていたので「白神殿」と呼ばれる神殿が建てられた。これがジグラト建築の先駆けといわれている。

ジグラトはシュメルの都市を特徴づける聖塔で、はるかかなたからも見ることができた。アッカド語ではジグラトだが、シュメル語ではウニルという。その起源についてはいくつかの説があるが、ジグラトは天に通じる階段で、頂上の神殿は神々に近づける場所であるとする考え方が最も広く受け入れられている。こうした考え方は、ヘロドトス『歴史』巻一、一八一、一八二のなかにも見え、八層からなるバビロン市の聖塔の頂上にある大きな神殿で神と人間の女が接する話を伝えている。

**白神殿**　ウルク市

　このバビロン市のジグラトが『旧約聖書』「創世記」第一一章が伝える「バベルの塔」である。具体的なモデルは新バビロニア時代（前六二五―五三九年）にバビロン市に建立されていた「エテメンアンキ」であったと考えられている。その頃になっても、ジグラトの名前にはシュメル語が使われ続けていた。「エテメンアンキ」とはシュメル語で「天と地の基礎の家」の意味である。

　ジグラトは四隅を東西南北の軸にあわせ、一段の高さは上にいくほど低くなっていて、実際よりも高く見せる工夫がなされていた。考古学的にその存在が裏付けられているジグラトは二〇ぐらいだが、実際にはもっと建てられていた。
なお、本来の用途ではないが、ジグラトの頂上が天文観測に利用されたこともある。

## 一つの言葉

『旧約聖書』では、人間がその頂が天まで届く塔を建てはじめたことに神は立腹した。人々の言葉が一つであるから、このようなことを始めたのだと考えた。

「我々は降って行って、直ちに彼らの言葉を混乱させ、互いの言葉が聞き分けられぬようにしてしまおう」

主は彼らをそこから全地に散らされたので、彼らはこの町の建設をやめた。こういうわけで、この町の名はバベルと呼ばれた。主がそこで全地の言葉を混乱(バラル)させ、また、主がそこから彼らを全地に散らされたからである。

(『旧約聖書』「創世記」第一一章第七―九節)

言葉が通じれば、人間は共同作業が可能である。神を恐れぬ所業であったかもしれないが、高い塔を建立することもできたのであった。言葉が通じなくなって、人々は意思疎通が図れなくなり、塔の建立は不可能になった。

第六章で紹介したように、人々が本来は一つの言葉を話していたのだとする考え方もシュメルにさかのぼる話であった。シュメル人は当然シュメル語を話したが、周囲にはちがう言語を使う人々がいたのである。アッカド人はアッカド語を話し、エラム人はエラム語を話していた。シュメル人はアッカド人とは民族としては敵対関係を持っていなかったが、エラム人やほかの民族は蔑視し、ときには戦ったことは前で紹介した。言語のちがい、文化・習慣のちがいが争いを生むとしたならば、逆にいえば言葉が一つであったならば争いはなかったにちがいないとシュメル人は考えていたのではないだろうか。

## シュメルの滅亡

### シュメル版「万里の長城」

ウル第三王朝の滅亡は早かった。ジグラトどころではなくなり、代わって城壁を造らざるをえなくなった。シュメル版「万里の長城」の建造である。

中国では、春秋戦国時代（前七七〇―二二一年）の長期にわたる分裂状態を終わらせ、天下統一を成し遂げた秦《しん》の始皇帝（前二四七―二一〇年）が、すでに造られていた諸国の城壁をつなげて長城を増築することを蒙恬《もうてん》将軍に命じた。戎狄つまり匈奴《きょうど》を追い払うため臨洮《りんとう》から遼東《りょうとう》（襄平《じょうへい》）にいたるまで一万余里にわたったと『史記』「蒙恬列伝」には書かれていて、漢代にはさらに西方に延長された。現在残っている「万里の長城」は明《みん》代に対モンゴル防衛のために築城されたもので、秦漢代よりも南方である。

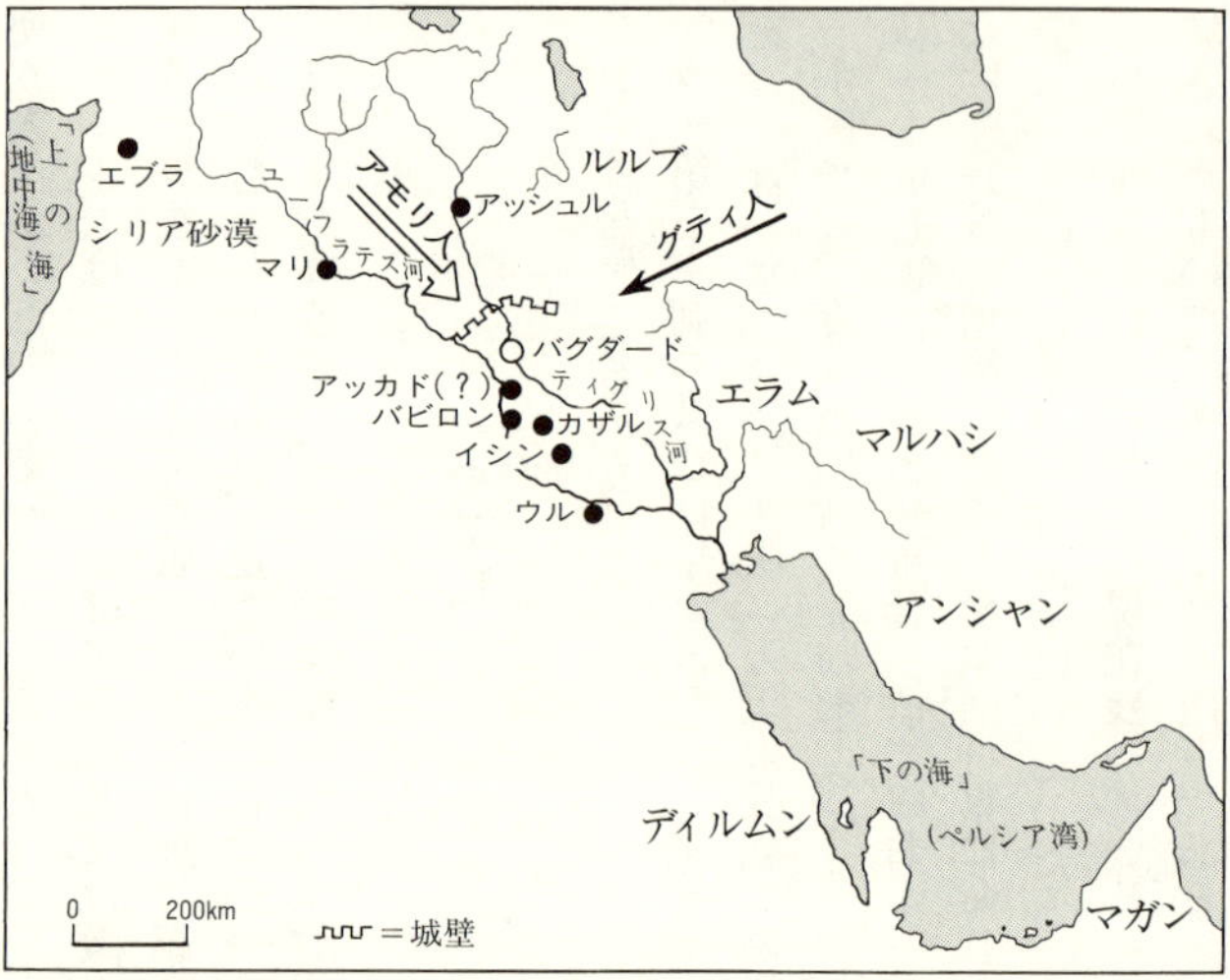


ウル第三王朝時代のメソポタミア

ローマ帝国もまた長い国境線を持ち、ライン河やドナウ河が自然の国境となったが、ゲルマン人やケルト人などの侵入を防ぐために大規模な防柵を築かねばならなかった。海を渡ったブリタニア（現代のイギリス）には帝国最盛時、つまり五賢帝時代のハドリアヌス帝時代（一一七－一三八年）に築かれた「ハドリアヌス帝の城壁」が現在も残っている。

陸続きの国々で、こうした長い国境線を持ち、しっかり防御し続けないと敵に侵入されるという脅威は、島国に住む日本人にはわかりえないことである。

シュメル人もまた、古代中国人やローマ人に先立って、敵の侵入に悩まされ、城壁を築かざるをえなくなった。マルトゥ、つまりアモリ人の侵入が勢いを増し、現代のバグダード北方八〇キロメートルの所にユーフラテス河からティグリス河へと、防御のための城壁を築いて侵入を阻止しなければならなくなった。これがシュメル版「万里の長城」である。城壁建設は第二代シュルギ王(前二〇九四―二〇四七年頃)の治世に始まっていて、前で話したように治世三七年の「年名」は「国の城壁が建てられた年」であった。

学校の教材として使われていた手紙文の写しのなかには、シュルギ王の「一ヵ月以内に完成せよ」といった城壁造築命令の手紙もある。城壁は「バド・イギフルサグ」(「山岳に面した城壁」の意味)と名づけられていたことや、シュメルでも軍人が造築にあたったことなどがわかっている。

また、第四代シュ・シン王(前二〇三七―二〇二九年頃)の治世四年の「年名」も城壁築造であったことはすでに第六章で紹介した。

## 傲慢な手紙

教材の手紙の研究からウル第三王朝が滅亡した事情がわかるようになった。

ウル第三王朝時代にはシュメル地方では土壌の塩化が進み、大麦の収量倍率が激減していた。初期王朝時代末期(前二四世紀中頃)にはラガシュ市において七六・一倍であったものが、前二一世紀のウル第三王朝の属州ギルス(以前のラガシュ市)では三〇倍に減少していた。この数字はシュメル地方のほかの地域でもそうちがわなかったと考えられる。

第五代イッビ・シン王（前二〇二八－二〇〇四年頃）の治世になると、東方からはエラム人、西方からはマルトゥ人（アモリ人）と外敵の脅威が増し、しかも同王の治世六年にウル市で発生した飢饉《ききん》は数年続いて、穀物価格が六〇倍にも高騰した。そこで、イッビ・シン王はマリ市出身のマルトゥ人の将軍イシュビ・エラに大麦購入を命じた。

イッビ・シン王に宛てた、イシュビ・エラ将軍の大麦購入報告の手紙があり、将軍の狡猾《こうかつ》な性格をよく伝えている。イシュビ・エラは通常の倍の価格で大麦を買い入れておいた上で、マルトゥ人の侵入のためにウル市に搬入できないので、輸送のための船団を送ってほしいと書いている。さらに恩着せがましく、イシュビ・エラはウル市で食糧不足が生じれば大麦を搬入する、また戦いに疲れ穀物が底をつきつつあるエラムに対してマルトゥ人への救援を求めるべきではない、自分は王宮と諸都市を一五年間維持するに足る食糧を確保しているので、イシンおよびシュメルの聖都であるニップル両市の守備は自分に任せてほしいと手紙を結んでいる。

イシュビ・エラの手紙を以下に紹介する。

我が王イッビ・シン神にいえ。

あなたの下僕《しもべ》イシュビ・エラが語る（ことを）。

あなたは私に大麦を購入するためにイシン市とカザル市への旅を命じられました。価格は大麦一グルにつき（銀一ギン）です。大麦購入のための（私に与えられた）銀二〇グナがあります。異邦人マルトゥ人があなたの国土に入り込んでいるとの伝令が私の元に届いていています。イシン市に七万二〇〇〇グルの大麦のそのすべてを持って行きました。今やマルトゥ人のすべてが国土のなかに入っています。多くの大いなる城塞《じょうさい》が占領されました。マルトゥ人のためにその大麦を南方に運べません。彼らの強さに私は敵《かな》いません。我が王よ、一二〇グル容量の船六〇〇艘をお造りになりますように。（中略）一五年分の大麦、あなたの王宮やあなたの諸都市を維持するに足る（大麦）は私の手にあります。イシン市とニップル市を警護することを我が王は私に任されました。我が王よ、このことをお知り下さい。

（一ギン＝約八・三グラム、一グル＝約三〇〇リットル、二〇グナは七万二〇〇〇ギンで約五九八キログラム）

イッビ・シン王　鼻が高い。またひげがないことから若い頃のようだ

イッビ・シン王は神格化されていて、名前の前に神であることを示す限定詞が付けられている。また、円筒印章の図柄にその姿が刻まれたイッビ・シンは、手に杯を持ち、壇上のクッション付き腰掛けに座っているが、この姿が神格化を表現しているという。

### イッビ・シン王の返書

イシュビ・エラ将軍のこの手紙に対する

返書が残っている。イッビ・シン王がイシュビ・エラを叱責《しっせき》する内容である。また、そこでは国家の滅亡はシュメルの最高神エンリルが都市とその都市神を嫌ったことから始まり、その結果エラム人のような蛮族に引き渡されるのだという理念が示されている。

イシュビ・エラにいえ。

汝の王、イッビ・シン神が語ることを。

エンリル神は我が王であるのに、汝(=イシュビ・エラ)はどこへ行こうとするのか。汝は次のような(無礼な)言葉を返してきた。「まさにエンリル神が私(=イッビ・シン)を嫌い、彼の子シン神を嫌った。ウル市は異邦人に与えられるだろう。そのための場所はなく、異邦人は蜂起し諸国は騒乱状態になる」と。エンリル神(の厚意)が彼の子シン神(=ウル市)に戻ったとき、汝の言葉が(そのまま汝に対する)予言となるであろう。

イッビ・シン王はイシュビ・エラに対して穀物の買い入れに銀二〇グを渡したのに、その銀で買える量の半分の穀物しか送ってこないのはなにごとか、また王に忠実な将軍に逆らってまでマルトゥ人の侵入を許したのはなぜか、と手紙で詰問したが、むだであった。

この手紙が書かれてまもなく、イシュビ・エラ(前二〇一七－一九八五年頃)はイッビ・シンに叛旗《はんき》を翻してイシン第一王朝(前二〇一七－一七九四年頃)を樹立して、王位に即いた。

## 『ウル市滅亡哀歌』

こうしてウル第三王朝の統一は破綻《はたん》した。すでに内にイシン第一王朝が成立し、外からはマルトゥ人などの侵入がやまない。イッビ・シン王は治世二五年（前二〇〇四年頃）にエラムの襲撃で捕らわれ、ウル第三王朝は滅亡した。

王朝の滅亡は大きなできごとであって、この悲劇を悼む『ウル市滅亡哀歌』『第二ウル市滅亡哀歌』（あるいは『シュメルとウル市滅亡哀歌』）などが作られた。

『第二ウル市滅亡の哀歌』では、「アン神、エンリル神、エンキ神およびニンフルサグ女神がその運命を決定した」とウル市の滅亡が「運命を定める大神たちの定め」であると人々は悟りながらも、過酷な運命を嘆かざるをえない心情が述べられている。

ウル市の人々はもはや住みなれた所に住むべきではなく、
彼らは敵地に住むことになるべし、
敵であるシマシュキ、エラムは彼らの土地に住むべし、
その牧人は自身の宮殿で敵によって捕らえられるべし、
イッビ・シンは囚《とら》われの身でエラムの地に連れて行かれるべし、
海の縁のザブの山からアンシャンの境まで、その家から飛び立ちし燕の如く、
彼は彼の都市に決して戻ることなかるべし。

戦禍による悲惨な状況が五〇〇行以上延々と述べられている。
これ以降、シュメル人は二度と歴史の主役となることはなかった。

チョガ・ザンビルのジグラト

## エラムのジグラト

イッビ・シン王が連れ去られたエラムの地、つまり現在のイラン南西部は油田地帯である。一九三五年に油田探索の調査飛行中に、土でできた不思議な山が発見された。前一三世紀頃のエラム王ウンタシュ・ナピリシャが建造した聖域で、その中央にジグラトが屹立《きつりつ》していた。これがユネスコ世界遺産に登録されているチョガ・ザンビルのジグラトであって、現在は復元されている。

このジグラトは平面規模ではメソポタミアのどのジグラトよりも大きく、ほぼ一辺一〇五メートルの正方形で、四隅は東西南北を指している。五層の基壇から成り、高さは現在約二八メートルだが、本来は倍の高さがあったと考えられている。

なんたることか、シュメル人が蔑視していたエラムが後代とはいえ、本家シュメルを凌ぐ壮大なジグラトを建立していた。シュメル人がこのジグラトを見たらなんと思っただろうか。エラムはシュメルに侵入するたびに、ウル市のジグラトをはじめ、諸都市のジグラトを見たはずである。武力ではシュメル人を負かせても、シュメル文化には負けていた。エラムはシュメルで見た憧《あこが》れのジグラトを自国に建てたのであろう。

チョガ・ザンビルのジグラトは建てられてから六〇〇年ほど経って、前六四〇年頃に新アッシリア帝国（前一〇〇〇頃―六〇九年）のアッシュル・バニパル王（前六六八―六二七年）によってスサ市のジグラトとともに破壊された。

# 終章
# ペンを携帯した王
## シュメル文化の継承

アッシュル・バニパル王のライオン狩浮彫図
　家来をしたがえ、豪華な衣装をまとった人物がライオンを仕留めている図である。

　古代メソポタミア史で最も知られている人物といえば、この人物になると思う。新アッシリア帝国時代にエジプトまで支配し、最大版図を誇ったアッシュル・バニパル王である。ギリシア語ではサルダナパロスの名前で呼ばれ、暴虐非道なオリエントの典型的専制君主と伝えられたが、実際はちがっていた。

　どうちがっていたかを本文で紹介しよう。

　大理石、ニネヴェ市出土、前7世紀頃、大英博物館蔵

## シュメル人はどこへいったか

シュメル人の統一王朝にして最後のウル第三王朝（前二一一二－二〇〇四年頃）は前二〇〇四年頃にエラムの侵入によって滅亡したが、シュメル人はその後も生き続けていた。だが、シュメル人は古くから共生していたアッカド人に加えて、アモリ人（マルトゥ人）が侵入したことによってセム語族の圧倒的文化のなかに埋没せざるをえなかった。

前二〇〇〇年紀にはアモリ人が建てたイシン第一王朝（前二〇一七－一七九四年頃）、ラルサ王朝（前二〇二五－一七六三年頃）そしてバビロン第一王朝（前一八九四－一五九五年頃）などが分立したが、なかでもウル第三王朝のイッビ・シン王（前二〇二八－二〇〇四年頃）を手玉にとったイシュビ・エラ（前二〇一七－一九八五年頃）が創建したイシン第一王朝はウル第三王朝の後継者を任じていた。王たちは王碑文、王讃歌および法典にシュメル語を用いていた。

しかし、日常の言語はもはやシュメル語ではなくアッカド語へと変わって行った。シュメル語は死語になろうとしていた。それでも前に話したように学校ではシュメル語が教えられていた。今に残る文学作品の多くは、この時期に粘土板に書かれたものである。

いずれはシュメル語が死語になるであろうことを、たとえばニップル市の書記たちはわかっていたと思う。わかっていたからこそ、懸命に粘土板に文学作品を書き残した。いつか誰かに読んでもらえる日があることを信じていたにちがいない。第七章で話したように、一九世紀末にニップル市の発掘がペンシルヴェニア大学によっておこなわれ、約三万枚の粘土板文書が発見されたが、このなかには三〇〇〇枚以上の文学作品が含まれていた。

宗教や法律用語としてのシュメル語は新バビロニア時代（前六二五－五三九年）つまり古代メソポタミア史の流れのなかで最後となる時代まで継承されていた。

## アッシュル・バニパル王のライオン狩

話は少し時間をさかのぼるが、新バビロニア王国とメディア王国の連合軍により、首都ニネヴェ市が前六一二年に陥落し、新アッシリア帝国が滅亡したのは前六〇九年のことであった。新アッシリア帝国の最大版図を誇ったアッシュル・バニパル王（前六六八－六二七年）が逝去して、まもなくのことである。

アッシュル・バニパル王の肖像はニネヴェ出土「ライオン狩浮彫図」などにその姿が刻まれている。当時、アッシリアにはライオンがいた。ライオン狩は武人としての訓練、スポーツの要素を持つとともに宗教的儀式であった。ライオンが「魔」を象徴し、その「魔」を仕留めることで王が宇宙の秩序を整えるという意味があったという。この一連の儀式が浮彫にされ、往時はニネヴェの王宮の壁を飾っていたが、現在は大英博物館のアッシリア室に陳列され、圧倒的迫力で見る者を惹きつけている。アッシリアの浮彫は写実的で迫力があることで、美術史の上でも評価が高い。ことにライオンや馬のような動物の筋肉表現の素晴らしさは高く評価されている。

さて、扉の浮彫とはちがうもう一枚の浮彫を紹介しよう。馬に跨った王の装束はロゼット文様が見え、裾には房があしらってある豪華なもので、ブーツを履いている。王の装束は扉の写真と同一である。

**弓をひくアッシュル・バニパル王**
腰帯には2本の葦ペンが挟んである。
ニネヴェ出土（大英博物館蔵）

## 自慢の葦ペン

王の腰帯のあたりに目を凝らしてもらいたい。アッシリアの彫刻では、丸彫、浮彫ともに男性像をよく見ると腰帯のあたりに柄のついたものを複数本さしていて、やすりといわれている。鉄の武器がさびるので、やすりでしばしば研がざるをえなかったことを表していたようだ。だが、アッシュル・バニパル王の腰帯にさしたものはやすりよりも細い。なんと、これは葦のペンである。この浮彫だけでなく、扉の浮彫でも王は葦でできた二本のペンを腰帯に挟んで表現されている。さしずめ現代ならば、オーダーメードの背広の胸に、高級万年筆というところだろうか。

王が望んで、彫刻師に彫らせた姿にちがいない。

アッシュル・バニパル王はバビロニア王であった兄シャマシュ・シュム・ウキンとの争い、エジプト遠征やエラム侵攻と武勇に長《た》けた王の印象が強いが、実は彼は文武両道の達人であった。五〇〇〇年後に登場するユリウス・カエサル（前一〇〇－四四年）はガリア（現在のフランス）やエジプトに遠征し、ローマの領土を拡大するとともに、ラテン語の名文『ガリア戦記』『内戦記』を残したことでも知られているが、アッシュル・バニパル王はカエサルの先駆者と

**(上)有翼精霊**　やすりを携帯している
（メトロポリタン美術館蔵）
**(下)ライオンを仕留めるアッシュル・バニパル王**　腰帯に２本の葦ペンが挟んである

もいえる。

文字の読み書きができたアッシュル・バニパル王は自叙伝を残していて、大英博物館に陳列されている。王の先祖たちは誰も読み書きはできず、王の伝記となれば書記が決まりきった形で美辞麗句を並べるのが通り相場であった。ところが、この自叙伝では自ら掛け算、割り算の問題を解け、アッカド語だけでなく、難しいシュメル語も読めたことを自慢している。

古代メソポタミアの帝王で文字の読み書きができた王は少なかったことはすでに第七章で話したが、ウル第三王朝のシュルギ王（前二〇九四―二〇四七年頃）が同じように複数の言語が理解でき、算数ができることを自慢していたこととよく似ている。


「アッシュル・バニパル王の図書館」


粘土板が読めるアッシュル・バニパル王は珍しい粘土板を集めさせていた。

一八四五年に、イギリス人A・H・レヤードが大英博物館の援助のもとにアッシリアの古都カルフ（現代名ニムルド）とニネヴェの発掘を開始し、一八五三年にレヤードの助手H・ラッサムが「アッシュル・バニパル王の図書館」を発見した。ニネヴェからは図書館とおぼしき建物が複数発見されているが、なかでも王宮の玉座の裏側の通路に並べられていた二万枚あるいは四万枚ともいわれる粘土板文書を特に「アッシュル・バニパル王の図書館」という。王はライオン狩で仕留めたライオンを悦にいって眺めたように、蒐集《しゅうしゅう》した粘土板を毎日楽しく眺めていたのだろうか。

これらの粘土板は王が力にものをいわせて集めたものである。

バビロン市に近いボルシッパ市のエジダ神殿には書記術の守護神ナブが祀られていて、当然貴重な粘土板があった。王がこれに目をつけて、ニネヴェ市にある王宮に持ってくるように命じた手紙も残っている。

また、当時、すでに個人で蔵書を持っている人々もいたが、カルフ市出身のある学者が持っていた蔵書も「アッシュル・バニパル王の図書館」に併合された。

こうして集められた粘土板には奥付がつけられ、また王の所有物であるとの文章が付けられることもあり、さらに粘土板を盗む者への警告として呪詛の言葉が付け加えられることもあった。

アッシュル・バニパル王が没するとまもなく、王が力で切り取った帝国の版図は瓦解し、前六一二年にはニネヴェ市は陥落してしまう。一方で、王が集めた粘土板は土に埋もれたまま現在まで残った。

楔形文字で書かれた史料を用いて、研究する学問を「アッシリア学」と総称するが、これはメソポタミアにおける発掘がバビロニア地方よりもアッシリア地方が先行し、さらには「アッシュル・バニ

カルフ（現代名ニムルド）遺跡

パル王の図書館」から出土した多様な文書の解読がはじまりであったことによる。現在では、「アッシリア学」は細分化され、シュメル学、ヒッタイト学のように、より専門的な分野に分かれて研究がおこなわれている。

## なぜ読むか

「アッシリア学」は専門的分野に分かれて研究がおこなわれ、国際的な評価を受けている日本人研究者もふえている。だが、日本人研究者の裾野が広がっているとはいいがたい。欧米の研究者は「アッシリア学」を専門とすることに違和感はないようだ。彼らの多くが信じている『旧約聖書』から入って行ける。たとえば、「バベルの塔」からジグラトへ、「ノアの大洪水」からシュメル語版『大洪水伝説』へとさかのぼって行くことで、自らが拠って立つユダヤ教、キリスト教文化の背景をたどることができる。一方で、シュメルの歴史や文化は日本の歴史や文化と直接かかわりがあるわけではない。日本人がシュメル語の楔形文字を読む必要があるのだろうか。

前川和也先生がシュメル語をなぜ読むのか考えられたことがあり、結局、シュメル語を読むことは「シュメル人に経を上げることになる」と思うという主旨のことを話されたことがあった。心に残っている。

人間は自分のことを知ってほしいと思うものである。すべての人々にわかってもらうことはできなくても、少なくとも自分に好意的である人には等身大の自分を理解してほしいと思うものである。

シュメル人は粘土板に懸命に記録を残した。なかには明らかに後世の人間に読んでもらうことを願って書いたと思えるものもある。その心を受け止めたい。シュメル研究を志したことが縁であるならば、その縁を一生大切にしたい。シュメル人がなにをしたか、なにを考えていたかを知ること、そして次世代へ伝えることは後世の人間の務めではないだろうか。読んでやらなくては、シュメル人は往生できないのではなかろうか。

## あとがき

現代社会の起源というべきシュメル人の世界を知ってほしいと思い、本書を執筆した。本書を執筆中に、「起きるべきほどのことはすでにシュメル社会では起きていた」との観を深くした。真の平和到来がいつになるか見通しが立たない「イラク戦争」、「スマトラ沖大地震」の大津波と巨大ハリケーン「カトリーナ」がもたらした大水害、そして「九・一一同時多発テロ」に続く「ロンドンの同時多発テロ」は異民族との共存がいかに難しいかを示していた。シュメル人はこうした困難に対処した最初の人々で、彼らが二一世紀の世界に起きているできごとを知ったら、なんというだろうか。聞くことができたら、聞いてみたいものである。

私が、シュメルについて興味を持ったのは大学時代であった。私は「全共闘世代」である。同世代の女性で四年制大学に進学したのは五人に一人だった。私自身は政治活動をしなかったが、時代の空気を吸っていた。「ロックアウト」「ストライキ」が日常的にあり、大学構内には立て看板が並び、ヘルメットをかぶり、ゲバ棒を持った学生がアジビラを配る、熱い政治の季節だった。他の世代の学生のようには落ち着いて勉強することはできずに、あっけなく学生時代は過ぎ、卒業式も満足にできずに「惜別の歌」を歌って別れた。

それから、前だけを見るようにして「今日」の連続で夢中で生きて来た。クラスメートの消息を聞くことも、学生時代を思い出すこともなく、三〇年以上の時間が経ってしまった。ところが、本書を執筆する過程で、過去を振り返らざるをえないできごとが重なった。


二〇〇四年、日本オリエント学会は創立五〇周年を迎え、前田徹先生が「日本におけるオリエント学『古代メソポタミア』」第一回「シュメール」の講演をされた。鬼籍に入られた先生や現役の研究者の名前が次々に登場し、温かい眼差しの行き届いた研究史が紹介された。前田先生ご自身が若き日に五味(現尾崎)亨先生にシュメル語を習われた話を紹介され、最後は「私も年をとったということで」と笑って締めくくられた。

前田先生のお話を伺いながら、シュメルの世界に足を踏み入れた昔を思い出していた。私も五味先生にシュメル語の手ほどきをしていただいた。今もシュメルの世界とかかわれるのは五味先生のおかげである。そのとき一緒に机をならべたのが岡田明子先生で、本書を出すにあたって終始熱くご支援下さった。恩人はほかにもいる。その「恩人」とは「日本オリエント学会」と「シュメール研究会」で、ここで良き指導者と良き仲間にお会いすることができた。

私は最初からシュメル研究を志してはいなかった。古代ギリシアにあこがれていたので、ミケーネ文明の研究で著名な太田秀通先生(当時東京都立大学教授)の講義に出た。当時流行していた「英雄時代」や「共同体論」に沿うお話で、ホメロスの英雄たちとシュメルのギルガメシュを比較し、当時まだ若手でいらした前川和也先生の論文を紹介されるなどの知的躍動感に満ちた講義で、これをきっかけにシュメルに興味を持った。

『ギルガメシュ叙事詩』を読みたいと思っていたところ、矢島文夫先生がアッカド語から訳された『ギルガメシュ叙事詩』(山本書店、一九六五年)が出ていることを文学部の「一五組の読書家」さんが教えて下さり、結局卒業論文でギルガメシュを扱うことになってしまった。人づてに、「一五組の読書家」さんは本に囲まれた仕事を選ばれ、趣味に生きるつつがない年月を送られていることを聞くことができた。

クラスメートではないが、消息を聞くことができた人がもう一人いた。美術史の徒であった「フィルヘレネ」さんは人生の新しい段階を穏やかに迎えられたという。彼はギリシア美術の話をしてくれ、学問の世界にいた人らしくなく「流されて生きれば」と諭して下さったが、私はできなかったように思う。

さらにもう一人、「一四組の優等生」さんとはゆくりなくも「再会」した。すれ違って、そのままで終わっていたはずなのに、すれ違ったことに三三年も経って気付いた。互いに頭に霜を置く年齢となって、短かった学生時代の話をした。懐かしかった。忘れたと思っていたことが、次々思い出された。「一四組の優等生」さんは本書を出すことをためらっていた私の背中を押して下さった。深く感謝している。

私と接点のあった人々の人生を三〇年を経て突然眺めることとなり、偶然といえばそれまでであるが、天の摂理としかいいようのないことが人生にはあり、人の世の巧妙な仕掛けを垣間見せられたように思う。翻って、「一六組の落ちこぼれ」であった私のこれまではなんであったか、考えざるをえなかった。順風満帆ではなかったが、顧みて学問が私を支えていてくれたことは間違いなく、今日まで細々ながらも学問を続けられたことはありがたいことである。

本書はさまざまな世代の人に読んでほしい。なかでも「全共闘世代」の人にはぜひ読んでもらいたい。歴史は人間の営みがあってこその歴史であり、ただ時代が流れているのではない。どの人生も時代とは無縁ではありえないし、個々の人生が結集して時代を特徴づけている。我々の時代は終わろうとしている。「知命」はとうに過ぎ、「耳順」まであとわずかである。しかし「クルヌギ」に赴くまでは少し時間がある。青春時代に充分勉強できなかった人に、若い日に好きだった歴史を、単位のためではなく、長い人生経験を踏まえて再び楽しんでもらいたい。本書がそのきっかけになることを念じている。自分の人生や自分たちが担った時代を総括し、一度だけの人生の残り時間を充実させ、納得して終えてほしい。私自身はそうしたいと思っている。

そのいっぽうで、高校生や大学生がもし本書を読んでシュメル人の世界が面白いと思ったら勉強を続けてほしい。本書がきっかけとなり、「粘土板読み」が育ってくれれば本望である。

さらにシュメルについて勉強したい人にはNHK学園の通信講座、日本オリエント学会監修「古代オリエント史講座」を勧めたい。世間一般すべてが軽薄になっているなかで、時代におもねらない正統派の講座である。シュメルについても学ぶことができる。

「はしがき」のお言葉をたまわり、冒頭カラー写真をお貸し下さり、かつ終始ご指導ご鞭撻下さった三笠宮崇仁様に厚く御礼申し上げる。

本書はNHK学園新宿オープンスクール、多摩カレッジ、獨協大学オープンカレッジ、古代オリエント博物館自由学校などで話したことが基本になっている。拙い話を受講して下さった多くの受講者に感謝している。

本書の執筆をお勧め下さった中田易直先生、出版にあたってご心配下さった井本英一先生、高橋正男先生、岡田明子先生、佐々木純子先生、石井和夫さん、岩下恒夫さん、上野重喜さん、佐渡卓朗さん、森本昭三さん、奥泉千恵子さんそして紹介の労をおとり下さった小川英雄先生、編集担当の酒井孝博さんに御礼を申し上げる。

長生きしている両親に本書を見せられ、良かったと思う。

二〇〇五年一〇月一日

小林登志子

181，224左，251，256上，256中　Parrot, A., *Sumer*, Paris, 1960.
205上　Parrot, A., *Assur*, Paris, 1961.
97　Post Card, University of Pennsylvania, Museum of Archaeology and Anthropology（ペンシルヴェニア大学博物館絵葉書）
19上，59，60，75，92，179上，216下，243　Postgate, J. N., *Early Mesopotamia*, London and New York, 1992.
49，104，111，221，237下，240上　Pritchard, J. B., *The Ancient Near East in Pictures Relating to the Old Testament*, 2nd ed., Princeton, 1969.
276　Reade, J., *Assyrian Sculpture*, London, 1983.
19下，67上，108，122上，122中，126，148，220，258下　Reade, J., *Mesopotamia*, London, 1991.
70　Rosengarten, Y., *Répertoire commenté des signes présargoniques suméerienes de Lagaš*, Paris, 1967
36下　Saggs, F. W., *Babylonians*, London, 1995.
31，87，121　Schmandt-Besserat, D., *Before Writing*, Austin, 1992.
119右　Strommenger, E., *Funf Jahrtausende Mesopotamien*, München, 1962.
134　Spycket, A.,"La coiffure féminine en Mésopotamie dès origins à la I[er] dynastie de Babylon," *Revue d'assyriologie* vol.48, 1954, vol.49, 1955.
213下，215　Tinney, S., "Texts, Tablets, and Teaching: Scribal Education in Nippur and Ur," *Expedition* vol.40, no.2, 1998.
89，116上，117，137下　Zettler, R. L. and Horne, L.(eds.), *Treasures from the Royal Tombs of Ur*, Philadelphia, 1998.
123　http://www-etcsl.orient.ox.ac.uk/edition2/general.php

*History Plates to Volumes I and II*, Cambridge, 1977.
130上 Edzard, D. O.,"Enmebaragesi von Kiš," *Zeitschrift für Assyriologie* 53, 1959.
37 Englund, R. K., *Proto-Cuneiform Texts from Diverse Collections*, Berlin, 1996.
205下, 217 Feller, B., *Die Anfänge der Schrift in Vorderasien*, Berlin, 1995.
12, 237上 Finkel, I. L. and Geller, M. J.(eds.), *Sumerian Gods and Their Representations*, Groningen, 1997.
234上 Frankfort, H.,"Gods and Myths on the Sargonid Seals," *Iraq* vol.1, 1934.
107, 151, 233 Frankfort, H., *Cylinder Seals*, London, 1939.
19中, 135, 256下, 261, 273 Frankfort, H., *The Art and Architecture of the Ancient Orient*, Harmondsworth, 1954.
197下, 267 Hallo,W. W.,"Women of Sumer," *Bibliotheca Mesopotamica* vol.4, 1976.
48 Heuzey, L.,"Le construction du roi Our-Nina," *Revue d'Assyriologie* vol.4, 1897.
17, 22, 131 Huot, J. -L., *Les Sumériens entre le Tigre et l'Euphrate*, Paris, 1989.
224右 Johansen B. and Alsten, B., *Statues of Gudea Ancient and Modern*, Copenhagen, 1978.
242 Johansen, F., *Statues of Gudea*, Copenhagen, 1978.
226, 240下 King, L. W., *History of Sumer and Akkad*, London, 1910.
1 Kramer S. N., *From the Tablets of Sumer*, Indian Hills, 1956.
114, 216上 Kramer, S. N., *The Sumerians*, Chicago and London, 1963.
96 Legrain, L., *Ur Excavations III*, London and Philadelphia, 1936.
116下 Mallowan, M. E. L. and Wiseman, D. J.(eds.), "Ur in Retrospect," *Iraq* vol. 22, 1960.
179下 Matthiae, P., *Ebla*, Torino, 1977.
137上, 195, 255 Moortgat, A., *Die Kunst des Alten Mesopotamien*, Köln, 1982.
125 Owen, D. I.,"The 'First' Equestrian : An Ur III Glyptic Scene," *Acta Sumerologica* vol.13, 1991.
15, 27, 53, 64上, 118上, 122下, 127, 136, 138, 143, 145上,

# 図版提供・出典一覧

（太字は本文ページ数を示す）

10, 50下, 119左, 119中, 130下, 155, 223, 224中, 258上, 277上　岩下恒夫
6下, 50上, 177, 182左, 225, 232, 270　岡田明子
7, 41左, 67下　小林登志子
64下, 174　佐渡卓朗
6上, 73, 213上, 254上, 279　三笠宮
iv　毎日新聞社
189上　足利惇氏『ペルシア帝国』（世界の歴史９）講談社、1977
234下　松村武雄「生杖と占杖」『民俗学論考』大岡山書店、1930
81, 95上　『世界四大文明　メソポタミア展』NHK、NHKプロモーション、2000
145下, 169　『ティグリス＝ユーフラテス文明展』中日新聞社、1974
173, 197上　Amiet, P., *L'art d'Agadé au Musée du Louvre*, Paris, 1976.
55, 68, 71, 78, 85, 94, 113, 218, 239　Amiet, P., *La glyptique mésopotamienne archaïque*, Paris, 1980.
41右　André-Salvini, B., *L'écriture cunéiforme*, Paris, 1987.
211上　Bienkowski, P. and Millard, A., *Dictionary of the Ancient Near East*, London, 2000.
277下　Black, J. and Green, A., *Gods, Demons and Symbols of Ancient Mesopotamia*, London, 1992.
23　Boese, J., *Altmesopotamische Weihplatten*, Berlin and New York, 1971.
146　Braun-Holzinger, E. A., "Frühdynastische Beterstatuetten," *Abhandlunger der Deutschen Orient-Gesellschaft* 19, Berlin, 1977.
106　Breasted, J. B., *Ancient Times*, Boston, 1935.
57, 98, 99, 100, 101, 102, 193　Collon, D., *First Impressions*, London, 1987.
62, 95下, 168, 182右, 254下, 257　Crawford, H., *Sumer and the Sumerians*, Cambridge, 1991.
189下　Curtis, J.(ed.), *Early Mesopotamia and Iran : Contact and Conflict 3500-1600 B.C.*, London, 1993.
21左　Edwards, I. E. S. and others (eds.), *The Cambridge Ancient*

前田徹「『シュメールの王名表』について」『オリエント』第25巻第2号（1982）
前田徹「シュメール都市国家ラガシュとウルの対立抗争」『史観』107冊（1984）
前田徹「シュメールの奴隷」『北大史学』第35号（1995）
前田徹『都市国家の誕生』（世界史リブレット1）山川出版社、1996
前田徹「シュメール人の思考の一断面」『早稲田大学大学院文学研究科紀要』第46輯第4分冊（2001）
前田徹『メソポタミアの王・神・世界観――シュメール人の王権観』山川出版社、2003
前田徹「シュメール語文字史料から見た動物」『西アジア考古学』第4号（2003）
松島英子『メソポタミアの神像――偶像と神殿祭儀』（角川叢書17）角川書店、2001
松村一男他編『太陽神の研究』下巻（宗教史学論叢8）リトン、2003
三笠宮崇仁編『古代オリエントの生活』（生活の世界歴史1）（河出文庫）河出書房新社、1991
三笠宮崇仁監修、岡田明子・小林登志子著『古代メソポタミアの神々――世界最古の王と神の饗宴』集英社、2000
三笠宮崇仁『文明のあけぼの――古代オリエントの世界』集英社、2002
矢島文夫訳『ギルガメシュ叙事詩』山本書店、1965
矢島文夫訳『ギルガメシュ叙事詩』（ちくま学芸文庫）筑摩書房、1998
矢島文夫『解読古代文字』（ちくま学芸文庫）筑摩書房、1999
山口昌男『道化の民俗学』（ちくま学芸文庫）筑摩書房、1993
吉川守「文字の発明」『オリエント・地中海世界Ⅰ』（世界歴史2）人文書院、1966
吉川守『Neo-Babylonian Grammatical Texts に於ける文法術語 *Šuḫurtum* と *Riātum* の研究』（広島大学文学部紀要特輯号3）1974
吉川守他責任編集『メソポタミア・文明の誕生』（NHK大英博物館1）日本放送出版協会、1990
吉川守「シュメール史料に見る食文化――パンを中心に」『古代中近東の食の歴史をめぐって』中近東文化センター、1994

月本昭男訳『ギルガメシュ叙事詩』岩波書店、1996
中田一郎訳『ハンムラビ「法典」』（古代オリエント資料集成１）リトン、1999
中原与茂九郎「シュメールの宗教的政治思想の一面——エンリル神およびニップールとシュメール王権の特殊性」『立命館文学』第246号（1965）
日本オリエント学会監修『メソポタミアの世界』上（古代オリエント史）日本放送協会学園、1988
日本オリエント学会編『古代オリエント事典』岩波書店、2004
パロ、A他、青柳瑞穂他訳『シュメール』（人類の美術）新潮社、1965
パロ、A他、小野山節他訳『アッシリア』（人類の美術）新潮社、1965
ビエンコウスキ、P／ミラード、A編著、池田裕・山田重郎監訳『大英博物館版・図説古代オリエント事典』東洋書林、2004
平山郁夫監修、ジョージ、D他著『イラク・秘宝と遺跡』（DVDブック）講談社、2004
フィネガン、J、三笠宮崇仁訳『考古学から見た古代オリエント史』岩波書店、1983
フランクフォート、H、山室静他訳『哲学以前——古代オリエントの神話と思想』社会思想社、1971
藤井純夫『ムギとヒツジの考古学』（世界の考古学16）同成社、2001
藤井純夫「ギルス出土『禿鷲の碑』の図像解釈——初期王朝時代後半における密集方陣の編成について」『美術史における「アルケオロジー」の諸相』（1999）
プルタルコス、村川堅太郎編『プルタルコス英雄伝』下（ちくま文庫）筑摩書房、1987
ヘロドトス、松平千秋訳『歴史』上（岩波文庫）岩波書店、1971
前川和也「エンエンタルジ・ルーガルアンダ・ウルカギナ——初期王朝期末ラガシュ都市国家の研究・序説」『人文学報』36（1973）
前川和也「古代シュメールにおける家畜去勢と人間去勢」『前近代における都市と社会層』京都大学人文科学研究所、1980
前川和也「古代シュメール農業の技術と生産力」『生活の技術　生産の技術』（シリーズ世界史への問い２）岩波書店、1990
前川和也「初期メソポタミアの手紙と行政命令文」『コミュニケーションの社会史』（京都大学人文科学研究所報告）ミネルヴァ書房、2001
前川和也「シュメール都市国家時代の密集隊と武器——『禿鷹の碑』と粘土板記録」『オリエント』第46巻第2号（2003）

クラットン＝ブロック、J、桜井清彦監訳・清水雄次郎訳『図説馬と人の文化史』東洋書林、1997
クレマー、N、佐藤輝夫・植田重雄訳『歴史はスメールに始まる』新潮社、1959
クレーマー、S・N、久我行子訳『シュメールの世界に生きて――ある学者の自叙伝』岩波書店、1989
クレーマー、S・N、小川英雄・森雅子訳『聖婚――古代シュメールの信仰・神話・儀礼』新地書房、1989
クレンゲル、H、江上波夫・五味亨訳『古代オリエント商人の世界』山川出版社、1983
クレンゲル、H、五味亨訳『古代シリアの歴史と文化――東西文化のかけ橋』六興出版、1991
小林登志子「エアンナトゥム、Galet　Aに見られるLUM-maについて」『オリエント』第23巻第2号（1981）
小林登志子「$^{d}$lugal-é-mùš 雑纂」『オリエント』第24巻2号（1981）
小林登志子「Entemena 像への供物の意味」『オリエント』第26巻第1号（1983）
小林登志子「エンエンタルジの ki-a-nag」『オリエント』第28巻第1号（1985）
小林登志子「エナンナトゥム一世の銘文が刻まれた釘人形に関する一考察」『日本オリエント学会創立三十五周年記念オリエント学論集』刀水書房、1990
小林登志子「グデアの『個人の守護神』ニンアズ――ラガシュ王碑文に見られる支配者達の守護神像の継続性について」『木崎良平先生古稀記念論文集・世界史説苑』木崎良平先生古稀記念論文集編集委員会、1994
小林登志子「『グデアの碑』について2――『杖を持つ神』」『古代オリエント博物館紀要』第23巻（2003）
小林登志子「『グデアの碑』について1――『椅子に座った大神』」『三笠宮殿下米寿記念論集』刀水書房、2004
コロン、D、久我行子訳『円筒印章――古代西アジアの生活と文明』東京美術、1996
沢柳大五郎『ギリシァの美術』（岩波新書）岩波書店、1964
シュマン－ベセラ、D、矢島文夫訳「文字誕生以前の記録」『日経サイエンス』1978年8月号
杉勇『楔形文字入門』（中公新書）中央公論社、1968
杉勇他訳『古代オリエント集』（筑摩世界文学大系1）筑摩書房、1978

# 主要参考文献

（洋書は省略）

阿辻哲次『漢字道楽』（講談社選書メチエ）講談社、2001
アル・ファーディ、A、杉勇訳「シュメールの学校教育」『オリエント』第18巻第2号（1975）
石田恵子編著『印章の世界展——古代オリエント美術と歴史の語り部』古代オリエント博物館、1991
市古宙三『中国の近代』（世界の歴史20）（河出文庫）河出書房新社、1990
ウォーカー、C・B・F、大城光正訳『楔形文字』（大英博物館双書）学芸書林、1995
宇野哲人『論語新釈』（講談社学術文庫）講談社、1980
ウーリー、L／モーレー、P・R・S、森岡妙子訳『カルデア人のウル』みすず書房、1986
江上波夫『聖書伝説と粘土板文明』（沈黙の世界史1）新潮社、1970
江上波夫他『発掘と解読』（古代文明の謎と発見7）毎日新聞社、1977
江上波夫監修、常木晃・松本健編『文明の原点を探る——新石器時代の西アジア』同成社、1995
大江節子「ウル第三王朝時代の婚姻について」『ラフィダーン』第Ⅶ号（1986）
大貫良夫他『人類の起原と古代オリエント』（世界の歴史1）中央公論社、1998
岡田明子「ウルク出土のアラバスター製大容器に関する問題点」『史観』第97冊（1977）
岡田明子「ウルク・エアンナ・クルラブについて」『日本オリエント学会創立三十周年記念オリエント学論集』刀水書房、1984
小野山節「Mesopotamia における帝王陵の成立」『西南アジア研究』第8号（1962）
小野山節「Ur『王墓』の被葬者は王か、聖なる結婚の主演者か」『西南アジア研究』第10号（1963）
加茂儀一『家畜文化史』法政大学出版局、1973
菊池徹夫編『文字の考古学Ⅰ』（世界の考古学21）同成社、2003
木村重信他『美の誕生——先史・古代Ⅰ』（名画への旅1）講談社、1994

## 【ヤ 行】



## 【ラ 行】

【ハ　行】



【マ　行】

【タ　行】



【ナ　行】

【カ　行】

# 索　引

小林登志子（こばやし・としこ）

1949年，千葉県生まれ．中央大学文学部史学科卒業，同大学大学院修士課程修了．古代オリエント博物館非常勤研究員，立正大学文学部講師等をへて，現在，NHK学園「古代オリエント史」講座講師，中近東文化センター評議員．日本オリエント学会奨励賞受賞．専攻・シュメル学．

著書『文明の誕生』（中公新書，2015）
『シュメル神話の世界』（共著，中公新書，2008）
『五〇〇〇年前の日常――シュメル人たちの物語』（新潮選書，2007）
『古代メソポタミアの神々』（共著，集英社，2000）
『人物世界史4　東洋編』（共著，山川出版社，1995）
ほか

シュメル―人類《じんるい》最古《さいこ》の文明《ぶんめい》
中公新書 *1818*

2005年10月25日初版
2017年12月15日 9 版

著　者　小林登志子
発行者　大橋善光

本文印刷　三晃印刷
カバー印刷　大熊整美堂
製　本　小泉製本

発行所　中央公論新社
〒100-8152
東京都千代田区大手町 1-7-1
電話　販売 03-5299-1730
　　　編集 03-5299-1830
URL http://www.chuko.co.jp/



Published by CHUOKORON-SHINSHA, INC.
Printed in Japan　ISBN4-12-101818-4 C1222

中公新書

## 世界史



1353 物語 中国の歴史 寺田隆信
2392 中国の論理 岡本隆司
2303 殷―中国史最古の王朝 落合淳思
2396 周―理想化された古代王朝 佐藤信弥
2001 孟嘗君と戦国時代 宮城谷昌光
12 史記 貝塚茂樹
2099 三国志 渡邉義浩
7 宦《かん》官《がん》(改版) 三田村泰助
15 科《か》挙《きょ》 宮崎市定
1812 西《せい》太《たい》后《こう》 加藤徹
166 中国列女伝 村松暎
2030 上海 榎本泰子
1144 台湾 伊藤潔
925 物語 韓国史 金両基
1367 物語 フィリピンの歴史 鈴木静夫

1372 物語 ヴェトナムの歴史 小倉貞男
2208 物語 シンガポールの歴史 岩崎育夫
1913 物語 タイの歴史 柿崎一郎
2249 物語 ビルマの歴史 根本敬
1551 海の帝国 白石隆
1866 シーア派 桜井啓子
1858 中東イスラーム民族史 宮田律
1660 物語 イランの歴史 宮田律
2323 文明の誕生 小林登志子
1818 シュメル―人類最古の文明 小林登志子
1977 シュメル神話の世界 岡田明子 小林登志子
1594 物語 中東の歴史 牟田口義郎
1931 物語 イスラエルの歴史 高橋正男
2067 物語 エルサレムの歴史 笈川博一
2205 聖書考古学 長谷川修一